Seanchas Ìle

Ro-ràdh le Dòmhnall Meek
Foreword by Donald Meek

ARGYLL PUBLISHING

First published in 2007
Argyll Publishing
Glendaruel
Argyll PA22 3AE
Scotland
www.argyllpublishing.com

www. seanchas-ile.net

British Library Cataloguing-in-Publication Data.
A catalogue record for this book is available from the British Library.

ISBN 978 1 906134 11 2

Dealbh air a' chòmhdach le Becky Williamson
Cover photograph by Becky Williamson

Printing: Bell & Bain Ltd, Glasgow

Do Mhuinntir Ìle

Clàr-innse

Contents

Ro-ràdh leis an Àrd-Ollamh Dòmhnall Meek

Tha e na thoileachadh mòr dhòmhsa taic a chur ris an leabhar ghasda seo, a tha a' cur cuid de dhualchas Ile mu ar coinneamh ann an dòigh cho snasail. Tha dà adhbhar agam gu sònraichte airson mo thoileachais.

'S e a' chiad adhbhar gu bheil ceangal gu math dlùth agam ris an eilean fhèin, agus meas da-rìribh air an àite. Ged a chaidh mo thogail ann an Tiriodh, agus ged tha a mi gam mheas fhèin mar Thirisdeach, fhuair mi mo chiad phlathadh den bheatha seo nuair a bha mi nam leanabh ann an 'Texa House' ann am Port Eilein. Tha faisg air trì fichead bliadhna air siubhal don cheò bhon a dh'fhàg m' athair 's mo mhàthair an dachaigh ann am Port Eilein, agus a chuir iad an aghaidh air Tiriodh, ach cha do dhìochuimhnich iad riamh na daoine còire anns an 'Eilean uain' Ileach'. Le bhith a' cluinntinn sgeulachdan m' athar mu na lathaichean sona a bha aige ann an Ile (far am biodh e ag iasgach chudainnean bhon ghàrradh aig ceann an taighe), chuir mi eòlas air an àite agus air cuid de na daoine. Chuala mi an ainmean tric is minig. Chuala mi mu na 'machraichean rèidh' 's mu na 'doireachan fasgach'. Agus nuair a thill mi fhìn do dh'Ile, bha e dhomh mar gum bithinn fhìn a' tilleadh dhachaigh – agus tha e mar sin fhathast.

Gach uair a ruigeas mi an t-eilean, tha mo chasan gam stiùireadh gu 'Texa House', far am bi mi a' seasamh ann an sàmhchair, agus air an t-slighe bidh mi a' bruidhinn ris na 'seann choimhearsnaich' air an robh meas cho mòr aig m' athair 's mo mhàthair. Nam measg tha mo dheagh charaid, Seumas MacPhàrlain, a tha ag innse sgeulachd no dhà anns an leabhar seo. An turas mu dheireadh a bha mi a' bruidhinn ri Seumas, bha e trang a' càradh nan cliabh-ghiomach. Ach bha ùine aige seanchas a dhèanamh mu na seann lathaichean – mu

Foreword by Professor Donald Meek

It gives me great pleasure to lend my support to this fine book, which presents us with some of Islay's traditions in such an attractive manner. I have two reasons in particular for my pleasure.

The first is that I have a very close connection with the island itself, and an immense esteem for the place. Although I was brought up in Tiree, and although I consider myself a native of Tiree, I got my first glimpse of this life when I was a child in 'Texa House' in Port Ellen. Almost sixty years have vanished into the mist since my father and mother left their home in Port Ellen, and headed for Tiree, but they never forgot the kind people in 'the green island of Islay'. Through hearing my father's stories about the happy days he spent in Islay (where he used to fish for cuddies from the garden at the end of the house), I became acquainted with the island and with some of the people. I heard their names constantly. I heard about 'the smooth machairs' and the 'shady groves'. And when I myself returned to Islay, it was for me like a home-coming – and it is still like that.

Every time I reach the island, my feet direct me to 'Texa House', where I stand in silence, and on the way I speak to the 'old neighbours', for whom my father and mother had such a high regard. Among them is my good friend, James MacFarlane, who tells a story or two in this book. The last time I spoke to James, he was busy repairing his lobster-pots. But he had time to talk to me about the old days – about the 'block boats' that he and the other lads used to sail in the harbour when

na 'bàtaichean ploc' a bhiodh e fhèin agus na gillean eile a' leigeil anns a' phort nuair a bha iad nam balaich. Agus dh' innis e dhomh cuideachd mu na 'clachan socrachaidh' a bhiodh na h-iasgairean a' cur nam bàtaichean, gus an cumail socrach air a' mhuir.

Tha càirdean eile a' nochdadh anns an leabhar seo, agus chan eil aon air an robh barrachd meas agam na bha agam air Gille Brìghde Mac a' Chlèirich, nach maireann. Bhiodh 'Giobaidh' làn sgeulachdan mu eachdraidh Ile, agus bha meas mòr, mòr aige air na bàtaichean (mar a tha agam fhìn). Bha e cho coibhneil, càirdeil, le sradaig bhig bheòthail na shùil.

Tha an leabhar seo a' dearbhadh gu bheil na h-Ilich math air na sgeulachdan Gàidhlig innse san àm seo fhèin. Rinn mi toileachadh ris gach neach a bha ag aithneachadh anns an leabhar seo de chuideachd an là an-diugh – Heather Nic an Deòir agus Dòmhnall MacPhàidein nam measg. Agus thug an leabhar fa-near dhomh Ilich air nach do chuir mi eòlas fhathast – ach cuiridh.

'S e an dàrna adhbhar a tha agam airson a bhith cho toilichte taic a thoirt don leabhar seo, gu bheil an leabhar fhèin cho brèagha. Ged nach biodh na bhroinn ach na dealbhan-camara – de sheallaidhean 's de dhaoine – bu mhath a b' fhiach e sùil a thoirt air. Tha seallaidhean air an tìr agus air a' mhuir ann an Ile a bhriseas do chridhe lem bòidhchead, agus chan aithne dhòmhsa an leithid ann an eilean sam bith eile (agus is mòr am facal sin, a' tighinn bho Thirisdeach). Ach tha barrachd is sin ann – agus 's iad na sgeulachdan cridhe an leabhair. 'S iad na seallaidhean a gheibh sinn anns na sgeualachdan air cleachdaidhean an eilein fhèin, air dòigh-beatha nan daoine, an gnàthsan agus an cainnt, a tha a' sònrachadh an leabhair seo, agus ga dhèanamh cho prìseil. Chòrd iad uile rium, agus tha mi làn chinnteach gum faigh gach leughadair toileachadh asda.

Rinn Ionad Chaluim Chille Ile, agus gu sònraichte Emily Edwards, deagh obair an seo. Tha sinn fada, fada nan comain. Guma buan 'an t-eilean uain' Ileach', a chuid dhaoine agus a chuid sgeulachdan.

Dòmhnall Eachann Meek

they were boys. And he told me too about the 'stabilising stones' that the fishermen used to put in their boats, to keep them stable on the sea.

Other friends also appear in this book, and there is no one for whom I had a higher regard than I had for the late Gilbert Clark. 'Gibby' was full of stories about the history of Islay, and he had a very great love of boats (as I do too). He was so kind and friendly, with a lively little spark in his eye.

This book proves that the Islay folk are good at telling Gaelic stories in the present day. I was delighted to recognise several people in this book who belong to our own time – Heather Dewar and Donald MacFadyen among them. And the book drew to my attention Islay folk whom I have not yet met – but I will do so.

The second reason that I have for being so happy to support this book is that the book itself is so attractive. Though it should contain nothing but the photographs – of scenes and of people – it would be well worth a look. In Islay there are vistas of sea and land that break your heart with their beauty, and I do not know of their equal in any other island (and that is a big statement, coming from a Tiree man). But there is more than that in it – the stories are the heart of the book. The pictures we are given of the customs of the island itself, of the way of life of the people, their idioms and their language, are what mark out this book and make it special. I enjoyed them all, and I am confident that every reader will enjoy them.

The Columba Centre in Islay, and especially Emily Edwards, have done a fine job here. We are deeply indebted to them. Long may the 'green island of Islay' flourish, its people and its stories.

Donald Eachann Meek

Mu Sheanchas Ìle

Chaidh pròiseact sònraichte Seanchas Ìle a stèidheachadh aig Ionad Chaluim Chille Ìle ann an 2005 leis a' phrìomh amas dualchas beairteach Gàidhlig Ìle a chruinneachadh, a chlàrachadh agus a ghleidheadh airson nam bliadhnaichean ri tighinn. B' e pròiseact air leth cudromach a bha seo, chan ann dìreach a chionn 's gu bheil an t-eilean na fhear de na sgìrean mu dheireadh far am bi Gàidhlig fhathast ga bruidhinn gu nàdarra, ach cuideachd o chionn 's gun e dualchainnt fhìor chudromach agus luachmhor a th' ann an Gàidhlig Ìle a thaobh cultar nan Gàidheal.

Bha Gàidhlig air a bruidhinn ann an Ìle na b' fhaide na bha i

Introduction to Seanchas Ìle

1. Ionad Chaluim Chille Ìle far a bheil pròiseact Seanchas Ìle stèidhichte / The Columba Centre Islay where the Seanchas Ìle project is based

The unique Seanchas Ìle project was established at The Columba Centre Islay in 2005 with the main objective to collect, record and preserve Islay's rich Gaelic heritage for years to come. This has been a hugely important project, not only because the island is one of the few remaining places where Gaelic is still spoken in the community, but also because the Islay Gaelic dialect is of huge significance and regard in the framework of Gaelic culture.

Gaelic has been spoken on Islay longer than most other

anns a' mhòr-chuid de sgìrean eile ann an Alba agus 's e àite air leth cudromach a th' ann a thaobh eachdraidh nan Gàidheal. Mar sin, chan e iongnadh a th' ann gun do mhair cultar na Gàidhlig mar phàirt mòr beatha muinntir an eilein gus an latha an-diugh agus gu bheil Gàidhlig agus na Gàidheil fhathast aig cridhe an eilein seo. Feumaidh sinn cuimhneachadh ge-tà nach bi cùisean a' coimhead dòchasach do dhualchainnt Gàidhlig Ìle, le àireamh nan daoine a bhios ga bruidhinn a' dol sìos gach bliadhna. 'S e adhbhar mòr a bha seo airson pròiseact Seanchas Ìle a stèidheachadh.

Anns an leabhar seo tha cruinneachadh beag de thar-sgrìobhainn agus eadar-theangachaidhean a bha air an clàrachadh bho mhuinntir Ìle aig a bheil Gàidhlig, airson pròiseact Seanchas Ìle (seach na seanfhaclan agus aon naidheachd a bha cruinnichte le Gille Brìghde Mac a' Chlèirich agus a tha foillsichte an seo le cead coibhneil a theaghlaich). Tha iomadh seòrsa stuth ann; naidheachdan ionadail, cuimhneachain air mar a tha Ìle air atharrachadh tro na bliadhnaichean, seanfhaclan, cuide ri fiosrachadh eachdraidheil agus teisteanasan-beatha muinntir na sgìre. Chan eil òrain a-staigh anns an leabhar a chionn 's gun robh mòran de na h-òrain a chaidh a chruinneachadh airson Seanchas Ìle ann an clò cheana agus cha robh sinn airson an aon rud a dhèanamh a-rithist. Cuideachd, feumaidh sinn cuimhneachadh gun robh an leabhar beag seo air a thruiseadh ann an ùine ghoirid agus mar sin 's e dìreach taghadh beag a th' ann den t-seòrsa stuth a bha cruinnichte airson Seanchas Ìle. Bha barrachd luchd-bratha an sàs leis a' phròiseact na tha anns an leabhar bheag seo ach gu mì-fhortanach, cha robh ùine gu leòr ann tar-sgrìobhainn a dhèanamh air na clàraidhean uile. Ma bhios sibh airson èisteachd ri gin de na clàraidhean, cuiribh fios gu Ionad Chaluim Chille Ìle.

Cuideachd, mar cho-òrdanaiche a' phròiseict bu toil leam ràdh dè cho fortanach 's a tha mi gun d' fhuair mi an cothrom ùine a chur seachad còmhla ri muinntir Ìle aig a bheil Gàidhlig agus tha mi airson taing mhòr a thoirt dhuibh uile airson ur càirdeas agus airson cho taiceil 's a bha sibh ri pròiseact Seanchas Ìle agus ris a' Ghàidhlig. Gun robh math agaibh uile.

Emily Edwards
Co-òrdanaiche Seanchas Ìle
Cèitean 2007

areas in Scotland and its cultural heritage has played a very important role in the history of the Gael. With this in mind, it is in many ways no surprise that Gaelic culture has survived to this day as an important part of island life and that Gaelic and the Gaels are still at the heart of this island. We must remember however, that the circumstances surrounding the future of the Islay Gaelic dialect are not looking hopeful with the number of speakers decreasing every year. This has been a major motivation behind the Seanchas Ìle project.

In this publication, there is a short collection of transcriptions and translations that were recorded from Islay's Gaelic speakers specifically for the project (with the exception of the proverbs and one story which were collected by Gilbert Clark and are published here by kind permission of his family). There is a variety of material included such as local stories, recollections of how Islay has changed over the years, proverbs, as well as historical information and testimonies of the lives of local people. We have not included any songs in this collection as many of the songs collected for Seanchas Ìle are already in other publications and we did not want any repetitions. Also, it should be noted that this brief collection was compiled in a relatively short time and is therefore only a modest selection of the material collected for Seanchas Ìle. There were other informants involved in the project whose material could not be transcribed in time for this publication. If you would like to listen to any of the recordings please contact The Columba Centre, Islay.

Finally, as the co-ordinator of the Seanchas Ìle project I would like to say how fortunate I feel in being given the opportunity to spend time with local Islay Gaelic speakers and I would like to thank you all for your kindness and for your support of the Seanchas Ìle project and of the Gaelic language. Gun robh math agaibh uile.

Emily Edwards
Seanchas Ìle Co-ordinator
May 2007

Notaichean air Tar-sgrìobhainn agus Eadar-theangachaidhean

Anns na tar-sgrìobhainn agus eadar-theangachaidhean seo, dh'fheuch sinn a chumail cho faisg 's a b' urrainn ris a' bhlas agus an dòigh bruidhinn a bha aig an neach-bratha. Air an adhbhar sin, cha bhi sinn daonnan a' cumail ris an dòigh àbhaisteach Gàidhlig a litreachadh agus tha cuid fhacal is abairtean air an cleachdadh nach tèid faotainn ann am iomadh faclair, no nach bi cumanta taobh a-muigh Ìle, ach gheibhear iad ann an liosta faclan Gàidhlig Ìle ri cùl an leabhair seo.

Tha cuid 'ums' is 'ers' a dhìth bhon sgrìobhadh cuide ri abairtean nach robh freagarrach don chuspair agus tha seo air a shealltainn mar '. . . ', agus tha facal no faclan nach robh soilleir air a' chlàradh air an sealltainn mar [?] airson aon fhacal no [??] airson barrachd na aon fhacal. Tha gluasadan no faclan a bharrachd uile ann an camagan ceàrnach, agus tha cuid fhuaimneachaidhean nach faigh sibh anns an litreachadh àbhaisteach ann an camagan ceàrnach cuideachd. Mu eisimpleir, tha am facal 'riutha' sgrìobhte mar a bhios na h-Ìlich ga ràdh: 'riuth[ch]a', leis an fhuaim 'ch' ann an camagan ceàrnach.

A shealltainn cleachdadh Ìleach tha na leanas ann gu tric:

costais	= coltais
dleth	= dlùth
dhuit	= dhut
earaich, ag earach	= faic, a' faicinn
folbh, a' folbh	= falbh, a' falbh
geàrraich	= geàrr
gheobh/adh	= gheibh/eadh
ma	= mu
maidinn	= madainn
mar	= nuair
sas bith	= sam bith
tioram/tiolam/tiomailt/ air	= timcheall air

Cuideachd, dh'atharraich cuid de na luchd-bratha pìosan beaga anns na tar-sgrìobhainn agus/no eadar-theangachaidhean aca fhèin far an do smaoinich iad gun robh e freagarrach. Ma bhios sibh airson èisteachd ri gin de na clàraidhean air fad, cuiribh fios gu Ionad Chaluim Chille Ìle.

Notes on Transcriptions and Translations

In these transcriptions and translations we tried to remain as close to the words and style of speaking of the informant as possible. For this reason, we have not always kept to standard Gaelic spelling and there are also some words and phrases used that are not found in many dictionaries, or are not common outside Islay, but can be found in the Islay Gaelic glossary at the back of this book.

Most of the 'ums' and 'ers' have been omitted from the text along with phrases that were not relevant to the subject and these are demonstrated by '. . . '. Words that were unclear on the recording are marked by [?] for one word and [??] for more than one word. Gestures and additional words are indicated in square brackets as are some pronunciations that aren't found in the standard spelling. For example the word 'riutha' is written in the transcriptions in the way in which Islay people pronounce it: 'riuth[ch]a', with the additional 'ch' sound in square brackets.

To show Islay usage the following often appear in the Gaelic transcipts:

costais	= coltais	(of) appearance
dleth	= dlùth	close
dhuit	= dhut	to you
earaich, ag earach	= faic, a' faicinn	see, seeing
folbh, a' folbh	= falbh, a' falbh	leave/depart
geàrraich	= geàrr	a hare
gheobh/adh	= gheibh/eadh	will get/would get
ma	= mu	about
maidinn	= madainn	morning
mar	= nuair	when
sas bith	= sam bith	any
tioram/tiolam/tiomailt/ air	= timcheall air	about/around

It should also be noted that some informants have made minor amendments to their own transcriptions and/or translations where they felt appropriate. If you would like to listen to a recording in its entirety please contact The Columba Centre, Islay.

2. Bothan aig Proaig / Bothy at Proaig

1.
Naidheachdan Ionadail / Local Stories

Tha Heather Nic an Deòir a' cuimhneachadh air naidheachdan a bha cumanta nuair a bha ise na patach ann an Ìle. . .

HN: Heather Nic an Deòir

EE: Emily Edwards

HN: Uill, Easga Bhuidhe na Fèidh, cha robh fhios a'ams dè bha sin a' ciallachadh ach 's e mar a bha sinne beag, bha. . . am bitheantas daoine ag innseadh dhuinn naidheachdan tioram air Easga Bhuidhe na Fèidh agus 's e giantess a bh' innte, bha iad ag ràdh.

EE: Seadh.

HN: Agus tha fhios 'ad chì thu air na beanntan Diùra, air Beinn an Òir, chì thu seòrsa sgrìob fiadhaich a' sin agus tha iad ag ràdh gun e Sgrìob na Cailleach a tha sin agus 's e sin far an do thuit Easga Bhuidhe na Fèidh shìos a' sin agus dh'fhàg i sin air a' bheann. Agus. . . bha sinne a' cluinntinn, bha i am bitheantas a' ruith[ch] às dèidh daoine òg. Cha robh sinne a' tuigsinn dè bha sin a' ciallachadh anns an àm, agus bha sinn a' smaoin[t]eachadh gun robh i a' feuchainn gan marbh. Agus tha sin ceart gu leòr, bha. Agus cuideachd, mar a bhiodh sinn thall ann an Diùra, tha fhios 'ad, air a' chladach chìtheadh thu seòrsa feamainn, feamainn beag briste agus bhiodh iad ag ràdh, "Ò 's e sin duilleagan tì Easga Bhuidhe na Fèidh." Agus mar a chìtheadh thu na feamainn sin, tha fhios 'ad, na feadhainn fada fada fada cosail ri sreang no rudeigin, 's e sin gruag Easga Bhuidhe na Fèidh a bh' aca air sin. Agus a' sin, tha clach mòr, Clach an

3. Clach an Daormunn le Sgrìob na Caillich air Beinn an Òir ri fhaicinn aig a cùl / Clach an Daormunn with Sgrìob na Caillich on Beinn an Òir in the background

Heather Dewar remembers stories that were common on Islay when she was a child. . .

HD: Heather Dewar

EE: Emily Edwards

HD: Well, Eagsa Bhuidhe na Fèidh[1], I didn't know what that meant but when we were young, people often told us stories about Eagsa Bhuidhe na Fèidh and she was a giantess, so they said.

EE: Right.

HD: And you know, you can see on the Paps of Jura, on Beinn an Òir, you can see a fierce sort of scrape there and they say that it's Sgrìob na Cailleach [the scrape of the old woman] and that's where Eagsa Bhuidhe na Fèidh fell down and she left that [scrape] on the mountain. And. . . we heard she often ran after young people. We didn't understand what that meant at that time and we thought that she was trying to kill them. And that's right enough, she was. And also when we were over in Jura, you know, on the shore you would see a type of seaweed, wee broken seaweed and they would say, "Oh that's Eagsa Bhuidhe na Fèidh's tea leaves." And when you see that seaweed, you know, the really long ones like string or something, it's 'Eagsa Bhuidhe na Fèidh's hair' they called that. And then there's a big stone, Clach an Daormunn up above Carraig Dhubh

[1] pronounced 'Eska Voo-ee na Fey'

Daormunn shuas os cionn a' Charraig Dhubh dlùth air Ardnahoe agus bha iad ag ràdh gun do thilg Easga Bhuidhe na Fèidh a' chlach sin a-nall às Diùra. Bha i fiadhaich crosta latha, bha i a' feuchainn ri faotainn grèim air duine no balach no rudeigin agus theich e agus fhuair e air folbh agus bha i cho feargach thilg i a' chlach sin às a dhèidh agus land e shuas a' sin ann an Ardnahoe. Agus leis a' sin, bha sinne air ar togail le naidheachdan tioram air Easga Bhuidhe na Fèidh.

Ach am-bliadhna, no an-uiridh, fhuair mise a-mach cò bh' innte, tha mi a' smaoin[t]eachadh, a chionn leugh sinn an naidheachd seo tioram air. 'S e dà bhoireannach a bha às Ìle agus chaidh iad às Ìle a-null do Dhiùra a thrusadh maorach agus bha iad a' fantail thall a' sin airs[h]on dà no trì làithean no rudeigin agus. . . a rèir an naidheachd bha iad thall dìreach sìos deas air Feolin eadar a' sin agus an drochaid mòr tha mi a' smaoin[t]eachadh agus bha iad a-mach a' trusadh faochagan. Agus feasgar, chaidh iad air ais, bha seòrsa hut no rudeigin aca, agus thuirt h-aon de na mnathan ris an h-aon eile "An earaich thusa an dèidh mo leanabh gus tig mi a-mach airs[h]on tuilleadh maorach?" "Ò nì mi sin," thuirt am boireannach eile. Agus folbh a dh'fholbh a' chiad boireannach agus mar a thill i cha robh sealladh air am pàiste agus thug i an aire gun robh rudeigin car èibhinn tioram air am boireannach seo agus thuirt i rith[ch]e "Cà' bheil am pàiste?" Agus cha do fhreagair i i. Agus chaidh i a-staigh don bhothan beag agus cha robh sealladh air a' phàiste, agus dh'earaich i mun chuairt agus bha poite air an teine agus bha fàileadh car grànda a' tighinn a-mach às a' phoite. Dh'earaich i a-staigh don phoite agus dè bh' ann ach am pàiste.

Uill a' sin, ghabh i eagal fiadhaich agus ruith[ch] i air folbh ach thug am boireannach eile an aire gun robh i a' teicheadh [?] agus ruith[ch] i às a dèidh agus fhuair i grèim oirre, mharbh i i agus dh'ith i i, a rèir costais. Agus a' sin chaidh am boireannach seo frìth-fràth air fad chionn thòisich i a' dol air all fours, tha fhios 'ad, bha i a' coiseachd air a làmhan agus a casan. Bha iad ag ràdh gun do chinn na h-ìnean aice cho fada gus an robh iad car cosail ri ìnean iolaire agus dh'fhàs i seòrsa ribeach cuideachd cosail ri beathach. Agus cha mhandadh duine sas bith a' dol dlùth oirre a chionn bha i a' faotainn grèim orra agus bha i a' dol gan mharbh agus gan itheadh. Agus an dòigh. . . a thachair e, bha na feadhainn ann an Ìle, bha iad a' faotainn na mails aca

close to Ardnahoe and they said that Eagsa Bhuidhe na Fèidh threw that stone there from Jura. She was very angry one day, she was trying to get hold of a man or a boy or something and he fled and he got away and she was so angry she threw that stone after him and it landed up at Ardnahoe. And with that, we were raised on stories about Eagsa Bhuidhe na Fèidh.

But this year, or last year, I found out who she was, I think, because I read this story about it. There were two women from Islay and they went over from Islay to Jura to collect shellfish and they were staying over there for two or three days or something and. . . according to the story they were over just down south of Feolin between Feolin and the big bridge I think and they were out collecting whelks. And in the afternoon, they went back, they had a sort of hut or something, and one of the women said to the other one "Will you look after my baby so I can go out for more shellfish?" "Oh I'll do that," said the other woman. And away went the first woman and when she returned there was no sign of the baby and she realised that there was something strange about this woman and she said to her "Where's the baby?" And she didn't answer her. And she went into the wee bothy and there was no sign of the baby, and she looked around and there was a pot on the fire and a terrible smell coming from the pot. She looked into the pot and what was it but the baby.

Well, then she took real fright and she ran away but the other woman realised that she was fleeing [?] and she ran after her and got hold of her, she killed her, and apparently, she ate her. And then, this woman went into a total rage because she started walking on all fours, you know, she was walking on her hands and her feet. They said that her nails grew so long that they were like the claws of an eagle and she grew hair as well, like an animal. And no-one could go close to her because she would get a hold of them to kill them and eat them. And the way. . . that it happened, the Ilich, they got the mail through Jura at the time and they weren't getting a thing, there wasn't as much as a letter

tro Diùra san àm agus cha robh iad a' faotainn stuth, cha robh litir no litir a' tighinn a chionn bha an t-eagal air a h-uile duine a' tighinn a-nall air an taobh seo do Dhiùra air sgàth am boireannach. Agus aig an deireadh thall thuirt duine ri duine eile às Ìle, "Tha gunna agus cù a'adsa nach eil?" agus thuirt an dàrna duine, "Tha." "Uill" thuirt a' chiad dhuine, "Tha gunna a'amsa agus cù a'amsa cuideachd agus bàta agus thig sinn a-nall do Dhiùra le na coin agus na gunnaichean agus cuiridh sinn às dhi[cha]."

4. Gruag Easga Bhuidhe na Fèidh air an tràigh aig Cill Eathain / Easga Bhuidhe na Fèidh's Hair on the beach at Killeyan

coming at all because everyone was scared of coming to this side of Jura because of the woman. And in the end, one man said to another man from Islay, "You have a gun and a dog don't you?" and the second man said, "Yes." "Well," said the first man, "I have got a gun and a dog too and a boat and we'll come over to Jura with the dogs and the guns and we will kill her."

Agus folbh a-nall a chaidh iad agus chaidh iad a-nall do Fheolin agus thuirt a' chiad dhuine, "Tha mise a' smaoin[t]eachadh gu bheil fhios 'am cà' bheil i. Fan thusa a' seo le aon chù agus do ghunna agus thig mise suas a' chnoc sin feuch am faic mi i." Agus streap e suas a' chnoc agus dìreach mar a bha e aig mullach a' chnoc bhuail a chas na clachan agus folbh a dh'fholbh na clachan agus dhèan iad fuaim. Agus bha ise shìos foidhe agus chuala[dh] i e agus chunnaic i e agus a' sin thàinig i às a dhèidh. Ach cha robh an t-eagal air, bha gunna leis, thog e an gunna [?] agus fire e an gunna. Cha do mharbh e i agus chùm i oirre ach bha an dàrna bharrel aige, thug e sin air folbh, cha do mharbh an dàrna h-aon i nas motha. Agus a' sin leum i air ach thionndaich e an gunna mun chuairt agus bhuail e i le cas a' ghunna agus chuir e às dhi[cha]. Agus chaidh e air ais a dh'innse don duine eile is bha sin deireadh an naidheachd. Ach tha mise a' smaoin[t]eachadh a rèir na naidheachdan a chuala sinne mar a bha sinne beag tha mise a' smaoineachadh gun e sin an dòigh a shiùdaich an naidheachd tioram air Easga Bhuidhe na Fèidh agus gun e naidheachd fior a bh' ann an toiseach. Tha mise a' smaoin[t]eachadh gun e sin boireannach a chaill a ciall agus a' sin bhiodh daoine ag innseadh naidheachdan tioram oirre.

Tha h-aon ann, bha i a' fantail ann an uamh rathadeigin ann an Diùra agus chaidh trì no ceithir fir a-staigh thar bàta. Agus bha ise ag iarraidh iasg agus bha iasg leoth[ch]a agus ghlaodh i riuth[ch]a "A bheil iasg a'aibh?" "Tha," thuirt esan. "Ò uill thigibh a-staigh is bheir mi dhut copan is gheobh sibh copan agus gheobh mise iasg." Is cha robh iadsan eòlach oirre is chaidh iad a-staigh ach aon uair 's gun deach iad a-staigh don uamh bha iad a' mothaichinn nach robh rudeigin dìreach ceart leis a' bhoireannach seo. Agus aig an deireadh thall, thuirt h-aon dhiubh[cha], "Dougie," thuirt esan, "Feumaidh mi a' dol sìos dìreach erm eh eh – a chumail mo shùil air a' bhàta – erm eh – tha an làn a' tighinn a-staigh." Agus folbh a dh'fholbh e agus cha robh e gu bràth tilleadh. Agus às a' sin, thuirt Iain, "Chan eil fhios dè thachair dha, 's fheàrr dhomh feuch dè tha ga chùmail, bu chòir dha a bhith air ais. Ma dh'fhaoidte

And away over they went and they went over to Feolin and the first man said, "I think I know where she is. You wait here with one dog and your gun and I will go up that hill to see if I can see her." And he climbed up the hill and just as he was at the top of the hill his leg hit the stones, away went the stones and they made a noise. And she was down below him, and she heard him and she saw him and then she came after him. But he wasn't scared, he had a gun with him, he raised the gun [?] and he fired the gun. He didn't kill her and she kept on but he had the second barrel, he fired that, but the second one didn't kill her either. And then she jumped on him but he turned the gun round and hit her with the stock of the gun and killed her. And he went back to tell the other man and that was the end of the story. But I think that according to the stories that we heard when we were young I think that that is the way the story started about Easga Bhuidhe na Fèidh and that it was a true story to begin with. I think that it's a woman who lost her mind and then people started telling stories about her.

There is one, she was staying in a cave somewhere in Jura and three or four men went in on a boat. And she wanted fish, and they had fish with them, and she shouted to them "Do you have fish?" "Yes," he replied. "Oh well come in and I'll give you a cup of tea and you'll get a cup of tea and I'll get the fish." And they didn't know her and they went in but as soon as they went into the cave they felt that something wasn't quite right with this woman. And in the end, one of them said, "Dougie," said he, "I have to go down, erm eh eh – to keep my eye on the boat – erm eh – the tide is coming in." And away he went and he never came back. And from there Iain said, "I don't know what happened to him, I should try [and find] what is keeping him, he should be back. Maybe he needs help with the boat." And away he went. And he never came back either. Then Seumas said, "Now what happened to the boys? I'd

gu bheil e ag iarraidh cuideachadh leis a' bhàta." Is folbh a dh'fholbh esan. Agus cha robh esan gu bràth tilleadh nas motha. A' sin, thuirt Seumas, "A-nis dè thachair do na balaich? 'S fhèarr dhomh folbh, feumaidh gu bheil rudeigin ceàrr leis a' bhàta." Is folbh a dh'fholbh esan. Agus bha an t-aon as òige air fhàgail agus thug e an aire gun robh ise, a' bhean seo, a' toirt droch shùil air agus dh'fhàs e car eagalach agus aig an deireadh thall thuirt esan "'S fheàrr dhomhsa folbh cuideachd." Agus a' sin leum i air agus ruith[ch] e mar an [?] ise às a dhèidh agus mar a bha e, chaidh e sìos don chladach agus sgreuch e a-mach do na balaich "Cuir a-mach am bàta! Cuir a-mach am bàta!" Agus chuir iad a-mach am bàta agus bha iadsan air fad anns a' bhàta, agus dìreach aig a' mhionaid mu dheireadh leum esan a-staigh agus shlaod na balaich air na ràimh, agus chaidh am bàta a-mach agus chaidh ise às a dhèidh. Dìreach leum i a-staigh don uisge agus bha iad ag ràdh gun robh i air a bàthadh. S[h]in 'ad aon naidheachd.

EE: Seadh.

HN: Ach an naidheachd eile, tha iad ag ràdh gun do ruith[ch] esan suas na beanntan agus mar a bha ise a' ruith[ch] às a dhèidh, gun do thuit i, bhuail i a cas air creag no rudeigin agus 's e sin cuin a thuit i a-nuas na beann agus dh'fhàg i a' sgrìob a' sin. S[h]in 'ad na seòrsa naidheachdan a bha iad ag innseadh tioram oirre.

better go, something must be wrong with the boat." And away he went. And the youngest one was left and he noticed that she, this woman, was giving him an evil eye and he became a bit scared and eventually he said "I'd better go too." And with that she jumped on him and he ran away like the [?] with her after him and how it happened, he went down to the shore and he screeched out to the boys, "Put the boat out! Put the boat out!" And they put the boat out and they were all in the boat, and just at the last minute he jumped in and the boys pulled on the oars, and the boat went out and she went after it. She jumped straight into the water and they said that she drowned. That's one story.

EE: Right.

HD: But the other story, they say that that he ran up the mountains and as she was running after him she fell, she hit her foot on a rock or something and that's when she fell down the mountain and she left the scrape there. That's the sort of story that they told about her.

Tha cuid naidheachdan èibhinn aig Iain Mac a' Phearsain. . .

IM: Iain Mac a' Phearsain

EE: Emily Edwards

HN: Heather Nic an Deòir

IM: Ag iomradh air caoraich is gnothaichean mar s[h]in, tha cuimhne 'am air naidheachd a chuala mi tioram air, shiubhail bodach ann an Càrn Donnchaidh. . . Co-dhiù, shiubhail am bodach seo agus bha am bodach na laighe ann an leaba' agus bha dà bhodach seo eile, paidhir de chompanaidh, nan suidhe aige agus anns na làithean sin bhiodh iad a' suidhe leis a' chorp, tha fhios 'ad. Agus bha doras cùil agus doras aghaidh air na taighean san àm sin, ann an taighean nan croitear airs[h]on bhiodh iad. . .

HN: Ò winnowing.

IM: 'S[h] e. Cò ainm seo a th' air? A' ruileadh an t-sìl sin agus bha oiteag bheag a' tighinn a-staigh agus bha iad a' cur air a' mholl, bhiodh iad a' toirt a' mholl air folbh agus a' fàgail an t-sìl.

EE: Seadh.

IM: Agus co-dhiù, bha an doras[t], bhiodh iad a' fàgail an doras[t] fosgailte aig amannan cuideachd an dòchas gum faigheadh, cò ainm seo air, a-mach?

HN: Spiorad?

IM: . . . an spiorad a-mach. Co-dhiù, bha sin gu math agus

A few funny stories from Iain MacPherson. . .

IM: Iain MacPherson

EE: Emily Edwards

HD: Heather Dewar

IM: Talking about sheep and things like that, I remember a story that I heard about an old man that died at Carn Duncan. . . Anyway, this old man died and the old man was lying in bed and there was this other pair of old men sitting in his company and in these days they sat with the body, you know. And there was a front door and a back door in the houses at the time, in the crofter's houses because they would be. . .

HD: Oh winnowing.

IM: Yes. What do you call it? Riddling the seed and there was a wee breeze coming in and they put the chaff, and they would take the chaff away and leave the seed.

EE: Right.

IM: And anyway, the door was, they would leave the door open sometimes as well, hoping that they would get the, what do you call it, out?

HD: Spirit?

IM: . . .the spirit out. Anyway, that was fine and they were

bha iad nan suidhe is gealbhan beag air agus dìreach lasair beag is bha an t-àite gu math dorcha. Co-dhiù, bha sin gu math. Dhia nach robh muc a' ridhleadh mun bhaile, mar a bu trice, agus thàinig a' mhuc a-staigh agus cha do mhothaich na bodaich a bha a' suidhe aig a' ghealbhan a' mhuc, agus chaidh a' mhuc a-staigh fon leabaidh agus shiùdaich i i fhè' a thachas, agus a Dhia . . . am bodach a bha marbh, shiùdaich e air leum suas! [*gàireachdainn*] Co-dhiù, leum aon de na bodaich agus chaidh fear a-mach an doras cùil agus fear a-mach an doras aghaidh agus am fear a bha a-mach doras aghaidh, chaidh pòcaid an t-seacaid grèim air làmh an dorais. "Ò Dhia leig às mise," thuirt esan, "cha d'rinn mise riamh stuth ceàrr ort!" [*gàireachdainn*]

•

IM: Iain Mac a' Phearsain

IM: O chionn treis air ais bha, car mu na ficheadan a bha sin, bha teaghlach ann an Ìle Clann Mac_____ agus bha an athair air fastadh anns an Ochdamh Fada. Bha fearann aca a' sin. Agus bha e a-mach a' treabhadh aon latha agus thàinig duine bhon Department of Education an rathad agus bha e a' feuchainn a dhèanadh dheth cia mheud de theaghlach a bha aig an duine seo. Agus co-dhiù chaidh e a-nìos far an robh e is tha mi a' smaoineachadh gun e 'means test' a their iad ris no rud mar s[h]in. Ach co-dhiù . . . thàinig e a-null far an robh an duine, 's e S_____ an t-ainm a bha air an duine. Agus thuirt e ris "Are you Mr Mac_____?" "Ò yes" thuirt S_____. "Ò uill, ma 's e sin mar a tha thu," thuirt an duine, "tha mi an seo fhaotainn a-mach cia mheud de theaghlach a th' agad?" "Ò uill," thuirt S_____ is bha e a' smaoineachadh tiota beag. "Uill, tha seachd balaich ann" thuirt esan, "agus tha piuthar an t-aon aca." "Ò ma 's e sin an dòigh a tha an rud" thuirt an duine, "cha ruig thu leas stuth a phàigheadh idir." Ach cha do innse e breug idir, bha aon phiuthar aca uile ach 's e an aon phiuthar a bh' ann! [*gaireachdainn*]

•

sitting with a wee fire on and just a wee flame, so the place was quite dark. Anyway, that was fine. Lord wasn't there a pig reeling about the village, as was the norm, and the pig came in and the old men who were sitting at the fire didn't notice the pig, and the pig went under the bed and she started to scratch herself and Lord. . . the old man that was dead, he started to jump up! [*laughing*] Anyway, one of the old men jumped up and one man went out the back door and one man went out the front door and the one who was out the front door got his coat pocket caught on the door handle. "Oh Lord let me go," he said, "I never did anything wrong to you!" [*laughing*]

•

IM: Iain MacPherson

IM: A short while back, about the time of the twenties, there was a family on Islay Clan Mac_____ and their father was employed at Octofad. They had land there. And he was out ploughing one day and a man from the Department of Education came his way and he was trying to find out how many of a family this man had. And anyway, he went up to where he was and I think it's the 'means test' that they call it or something like that. But anyway. . . he came over to where the man was, S_____ was his name. And he said to him, "Are you Mr Mac_____?" "Oh yes," said S_____. "Oh well, if that's who you are," said the man, "I'm here to find out how many are in your family?" "Oh well," said S_____, and he thought about it for a wee minute. "Well, there are seven boys," he said, "and every one of them has a sister." "Oh if that's the way of it," said the man, "you needn't pay a thing." But he didn't tell a lie at all, they did all have one sister but it was the same sister! [*laughing*]

•

5. Crodh air an tràigh aig Cill Chomain / Cows on the beach at Kilchoman

Seo naidheachd bheag a chuala Dòmhnall MacPhadein. . .

Croitear agus gun fhios de Bheurla air agus tha e a' strì ri innse don vet Gallda mar thachair den mhart aige:

"She was in the eye of the earth and she never boned her comb for three whole days"

[Chaidh i faotainn ann an sùil-chrith agus cha do chnàmh i a cìr fad trì làithean às a dhèidh.]

A short story that Donald MacFadyen heard. . .

A crofter without much English is trying to explain to the Lowland vet what happened to his cow. In Gaelic he wanted to say:

"Chaidh i faotainn ann an sùil-chrith agus cha do chnàmh i a cìr fad trì làithean às a dhèidh." [She was in a deep bog and she never chewed the cud for three days]

The crofter translated the Gaelic literally which in English came out as:

"She was in the eye of the earth and she never boned her comb for three whole days."

6. Seann ghleoc (ann an Taigh-Tasgaidh Beatha Muinntir Ìle) / An old clock (in the Museum of Islay Life)

Tha Cailean MacGhill'Fhaolain a' cuimhneachadh air na h-uairean gu tur eadar-dhealaichte a bh' aca ann an Àrd Talla. . .

CM: Cailean MacGhill'Fhaolain

HN: Heather Nic an Deòir

EE: Emily Edwards

CM: Agus san àm sin ann an Àrd Talla, cha robh iad ag atharrachadh na gleocannan.

HN: Ò nach robh?

CM: Cha robh. Bha iad a' fàgail an gleoc an dòigh a bha e [*gàireachdainn*] fad am bliadhna!

HN: Agus leis a' sin. . .

CM: Agus ma bha thu a' fàgail Àrd Talla agus bha thu a' dol a leithid Port Ilein bha e a' gabhail uair.

HN: Bha.

CM: Agus bha thu a' fàgail Àrd Talla aig deich uair agus bhiodh tu ann am Port Ilein aig deich uair! [*gàireachdain*]

HN: Ò 's toil leam sin!

EE: Ò tha sin math!

CM: Tha sin ceart! Cha robh iad ag atharrachadh an gleoc!

•

7. Cailean MacGhill'Fhaolain /
Colin MacLellan

Colin MacLellan tells of a different time zone in Ardtalla. . .

CM: Colin MacLellan

HD: Heather Dewar

EE: Emily Edwards

CM: And at that time in Ardtalla, they didn't change the clocks.

HD: Oh didn't they?

CM: No. They left the clock the way it was [*laughing*] all year round!

HD: And with that. . .

CM: And if you left Ardtalla and you were going to the likes of Port Ellen it took an hour.

HD: Yes.

CM. And you left Ardtalla at ten o'clock and you would be in Port Ellen at ten o'clock! [*laughing*]

HN: Oh I like that!

EE: Oh that's good!

CM: That's right! They didn't change the clock!

•

Tha Seumas MacPhàrlain a' cuimhneachadh air dòigh car neo-àbhaisteach a sheòladh. . .

SM: Seumas MacPhàrlain

HN: Heather Nic an Deòir

EE: Emily Edwards

HN: An naidheachd eile a chòrd riumsa, 'eil cuimhne 'ad bha thu ag innse dhuinn mar a bha ceò ann agus mar a bha iad a' dol a-mach [ag iasgach] is dè mar a bha iad. . .

SM: A' faotainn air ais?

HN: . . . a' faotainn air ais.

SM: Bha iad a' cur cuilean beag ann am poca agus ga fhàgail a' tabhainn air a' chladach agus cluinneadh iad e! [*gàireachdainn*]

EE: Ò seadh!

SM: Tha sin ceart!

•

James MacFarlane remembers a rather unusual style of navigation. . .

JM: James MacFarlane

HD: Heather Dewar

EE: Emily Edwards

HD: Another story that I enjoyed, do you remember telling us when there was mist and when they went out [fishing] and how they. . .

JM: Got back?

HD: . . . got back.

JM: They put a wee puppy in a bag and left it barking on the beach so they would hear it! [*laughing*]

EE: Oh right!

JM: That's right!

•

Cha robh e cho fada air ais nuair a bha Gàidhlig fhathast ga bruidhinn mar a' chiad chànan ann an Ìle. Tha Dòmhnall MacPhaidein ag innse ciamar a bha e do a mhàthair nuair a thàinig i a dh'Ìle a dh'obair mar bhanaltram sgìre agus na duilgheadasan a bh' ann gun fhacal Gàidhlig a bhith aice. . .

DM: Dòmhnall MacPhadein

EE: Emily Edwards

EE: Feumaidh gun robh e gu math duilich airson do mhàthar a bhith an seo [ann an Ìle] gun fhacal Gàidhlig aig an àm sin?

DM: Uill, innsidh mi dhut naidheachd a bhiodh i ag innse gu bitheanta.

EE: Seadh.

DM: Mar a thàinig i an toiseach, nist, chan eil fhios agamsa, a bheil cuimhne agadsa air each is cairt? . . .

EE: Chan eil!

DM: Chan eil. Fhaicidh-sa 's nach mi a tha sean!

EE: [*gàireachdainn*]

DM: Uill, bha bòrd flat air toiseach a' chairt.

8. Dòmhnall MacPhaidein a' dèanamh còmhradh còmhla ri Emily Edwards / Donald MacFadyen in conversation with Emily Edwards

It wasn't so long ago when Gaelic was still the majority language on Islay. Donald MacFadyen tells of when his mother came to work on Islay as the district nurse and her difficulties in not having a word of Gaelic. . .

DM: Donald MacFadyen

EE: Emily Edwards

EE: It must have been very difficult for your mother to be here [on Islay] at that time unable to speak any Gaelic?

DM: Well, I'll tell you a story that she told quite often.

EE: Right.

DM: When she first came, now, I don't know if you remember horses and carts? . . .

EE: No!

DM: No. Look at that, amn't I old!

EE: [*laughing*]

DM: Well, there used to be a flat board on the front of the cart.

EE: Seadh.

DM: 'S bhiodh an cairtear na shuidhe air an toiseach agus a chas air an rail air an trim, airs[h]on 's nach tuiteadh e.

EE: Seadh.

DM: 'S mar a bha sinne beag bha thu daonnan guidhe am faodadh tu suidhe air toiseach a' chairt mu coinneamh a' chairteir, ach dh'fheumadh tu a bhith mòr gu leòr gun ruigeadh do chasan an trim no thuiteadh tu. Cha b' urrainn dhuit suidhe no thuiteadh tu. . . sìos.

EE: Seadh.

DM: Agus thuit an gille beag seo eadar an each agus an trim 's chaidh a ghoirteachadh. . . Chaidh fios a chur air mo mhàthair is cha robh i ach air ùr tighinn a dh'Ìle.

EE: Uh-huh.

DM: 'S chaidh i thairis air a' ghille beag sin air fad, is chan fhaigheadh i stuth ceàrr air. Cha robh briste no brùite air. Ach fad na h-ùine bha e a' gearan 's a' gearan 's a' gearan 's thill i air ais far an robh a' bhean-taighe aige. B' e bean a' bhùth san àm. . . 'S thuirt i rithe am b' urrainn dhi cuideachadh. "Gu cinnteach," thuirt bhean a' bhùth, "dè tha ann?" Arsa mo mhàthair, "An robh sibhse eòlach air a' ghille beag a chaidh fios orm a' sin." "Tha," thuirt bean a' bhùth. "A bheil fios agaibh," thuirt ise "an robh e ceart mun robh tubaist aige?" "Uill," thuirt bean a' bhùth, "cho fada 's aithne dhomh," thuirt ise, "cha chuala mi riamh e air atharrachadh. Gu dè mar a tha thu a' faighneachd sin?" "Uill," thuirt mo mhàthair, "fhad 's a bha mise dha [??] is chan fhaigh mi fhìn stuth ceàrr air ach fad na h-ùine, bha, a' glaodhadh is a' glaodhadh mun 'dream' a bha seo, 'this terrible dream'.". . . Bha e cosail ri fear a bhiodh a' gabhail breislich. . . fits.

EE: Uh-huh.

DM: Right. Agus dh'fhan bean a' bhùth treis, "Och, gabh mo leisgeul," thuirt bean a' bhùth, "tha an gille beag air a dhruim a ghoirteachadh – the wee lad has hurt his back." "How do you know that?" thuirt mo mhàthair. "You were

EE: Yes.

DM: And the carter used to sit at the front with his feet on the rail, on the shaft, so that he wouldn't fall off.

EE: Yes.

DM: And when we were young you were always pleading to get to sit in the front of the cart opposite the carter, but you had to be big enough for your feet to reach the shaft or else you'd fall. You couldn't just sit or else you'd fall. . . down.

EE: Yes.

DM: And this wee lad did fall down between the horse and the shaft and he was hurt. . . A message was sent to my mother and she had only just come to Islay.

EE: Uh-huh.

DM: And she checked over the wee boy and couldn't find anything wrong with him. He had neither a break nor a bruise. But all the time he was complaining and complaining and complaining and she returned to where the woman of his house was. She was the shopkeeper at the time. . . And she [my mother] asked could she [the shopkeeper] help at all. "Certainly," said the shopkeeper, "what is it?" My mother says, "Do you know the wee boy over there for whom I was sent?" "Yes," said the shopkeeper. "Do you know," she said "was he OK before he had the accident?" "Well," said the shop woman, "as far as I know," said she, "I've never heard that he had changed. Why are you asking that?" "Well," said my mother, "when I was attending to him, [??] I couldn't find anything wrong with him but all the time he kept shouting and shouting about a dream he'd had, 'this terrible dream'.". . . He was like someone who was prone to taking fits.

EE: Uh-huh.

DM: Right. And the woman of the shop waited for a minute, "Och, excuse me," said the shopkeeper, "the wee lad has hurt his back." "How do you know that?" said my mother. "You were here and my patient is in bed at the other end of

here and my patient is in bed at the other end of the village." Mun tàinig i a dh'Ìle bha i ann an dà àite eile. Bha i ann am Fìobha agus bha i ann an àite ann an taobh tuath Lanark, Lanraig.

EE: Seadh.

DM: Agus chuala i mun. . . 'Second sight'. . . a chanas sinn ris sa Bheurla, aig na Gàidheil.

EE: 'S e.

DM: Ach, leum i air a' chailleach sa mhionaid, gun e seo a bha aicese cuideachd. Ciamar a bha fios aicese gun robh. . . ciamar a bha am balach. . . a' gearan air a dhruim agus bha e anns an taigh eile sa bhaile na laighe. "Oh well excuse me," thuirt bean a' bhùth, "the wee lad has hurt his back. It's 'mo dhruim' he's saying, not 'my dream'."

EE: Seadh, aidh. [*gàireachdainn*]

DM: Dh'fholbh i. Chuir i oirre còta sa mhionaid a-null ca' bithidh i, far an robh an gille beag ceart gu leòr, bha e cho ceart 's a ghabhas. Cha robh e ach a' feuchainn a dh'innseadh don bhanaltram gun do ghoirtich e 's a bha a dhruim goirt. Ò mo dhruim!

•

the village." Before she came to Islay she was in two other places. She was in Fife and somewhere in the north of Lanark.

EE: Yes.

DM: And she'd heard about the. . . Second sight. . . we call it in English, that the Gaels had.

EE: Yes.

DM: So, she sprang upon the old woman at once to find out if this is what she had too. How did she know how. . . the boy was complaining about his back when he was lying in another house in the village. "Oh well excuse me," said the shopkeeper, "the wee lad has hurt his back. It's 'mo dhruim' [my back] he's saying, not 'my dream'."

EE: Yes, aye. [*laughing*]

DM: She left. She put on her coat at once and went over to where the wee boy was quite all right, as right as could be. He was only trying to tell the nurse that he was hurt and his back was sore. Oh my back!

•

9. Clachan aig Saligo / Stones at Saligo

2.
Seann Chreideamhan agus Saobh-chràbhaidhean / Traditional Beliefs and Superstitions

Tha naidheachdan mu na sìthmhearaich aig Iain Mac a' Phearsain. . .

IM: Iain Mac a' Phearsain

HN: Heather Nic an Deòir

EE: Emily Edwards

IM: Bha dà ghille ag obair còmhla ann am fearann, their iad 'Sanaig' ris.

EE: Ò 's e, uh-huh.

IM: Agus Oidhche na Callainn mar a bha na àbhaist aig a h-uile duine. . . bhiodh iad a' dol chun taigh-sheinnse na b' fhaisge airs[h]on botal Nollaig fhaotainn. Agus co-dhiù, air an rathad air ais bha iad dìreach a' dol a-null chun àite, their iad 'Creag na Seòm[b]raichean' ris. A-nis, tha sin dìreach taobh thall far a bheil A' Choille, a their iad ris, tha Creag na Seòm[b]raichean. Agus 's e airs[h]on seo a fhuair e an t-ainm Creag na Seòm[b]raichean. Bha iad dìreach a' tighinn a-null Creag na

10. Creag na Seòmraichean faisg air A' Choille / Creag na Seòmraichean near Coille Farm

Iain MacPherson tells of the little people. . .

IM: Iain MacPherson

HD: Heather Dewar

EE: Emily Edwards

IM: There were two boys working together on a farm, they call it 'Sanaig'.

EE: Oh yes, uh-huh.

IM: And at Hogmanay when it was usual for everyone. . . they would go down to the nearest pub to get a Christmas bottle. And anyway, on the road back they used to just go over to a place that they call 'Creag na Seòmraichean' [lit. rock of the rooms]. Now, just over where A' Choille is, that's what they call it, is Creag na Seòmraichean. And it was for this reason it got the name Creag na Seòmraichean. They were just coming over to Creag na Seòmraichean and

Seòm[b]raichean agus ò bha an t-àite fosgailte suas agus chìtheadh thu a-staigh don chreig seo. Agus ò bha daoine ann, sìthmhearaich. . . a' dannsa is ceòl is, "Ò dìreach chum am botal," thuirt aon de na. . . gillean na chompanach. "Chum am botal dhomh an ceartuair is tha mi a' dol a-staigh seo." Tha iad ag ràdh gun tarraing. . . cuid de dhaoine ann agus tha e a' tarraing aig an leithid sin orra. Co-dhiù, ghabh e, "Ò na tig a-staigh a' sin," thuirt a chompanach ris mar a mhandadh e, cha mhandadh e stad a chur air agus a-staigh a chaidh e. Co-dhiù, bha sin gu math agus cha robh e ach an dèidh a' dol a-staigh agus dh[r]ùin a' chreag. Chan aithneachadh tu gun robh stuth a-riamh ann. Ruig an duine dhachaigh agus bha e ag innse an naidheachd, ach bha am botal aige fhè' agus botal a' chompanach aige agus bha iad a' dèanadh a-mach a' sin gun do mharbh e a chompanach, airs[h]on am botal dram. Agus bha iad a' dol a chrochadh dìreach. . .

HN: Mar s[h]in?

IM: Bha. "Ò uill," thuirt an gille, "ma bheir sibh dhomh bliadhna agus mur an till mi le mo chompanach an ceann bliadhna faodaidh tu a' sin mo chrochadh." Bha sin gu math. Dh'fholbh e agus mar a b' àbhaist agus chaidh e a-null agus bha a' ghealach freagarrach, chan eil fhios 'am dè dh'fheumas a' ghealach a bhith ach bha a h-uile stuth freagarrach co-dhiù. Agus s[h]eo agad, bha a' chreag fosgailte a-rithist agus bha iad a' smùideadh air dannsadh. Agus an trò seo thug e leis sgian air a dhèanadh le airgead agus coileach agus am Bìoball. Agus chaidh e a-staigh agus thuirt e ris a' chompanach, "Seo seo," thuirt esan, "a-mach às a' seo!" "Ò chan eil mi ach an dèidh a' chiad danns," thuirt esan. Tha iad ag ràdh gu bheil an ùine. . .

HN: . . . a' dol seachad cho clis.

IM: Tha. Tha e a' dol seachad cho clis. "Chan eil mise ach an dèidh a' chiad danns," thuirt esan. "Chan eil." "Ò tha,". . . agus rug e air làimh agus thug e a-mach e agus. . . bha a h-uile stuth glè cheart a' sin.

•

oh the place was opened up and you could see inside this rock. And oh there were people there, fairies. . . dancing and music and, "Oh just keep the bottle," said one of the. . . boys in the company. "Keep the bottle for me just now and I'm going in here." They say that it draws. . . that there are some people and that sort of thing draws them [in]. Anyway, he said, "Oh don't go in there," his companion said to him as he should, [but] he couldn't stop him and in he went. Anyway, that was fine and he was just after going in and the rock closed. You would never recognise that there was ever anything there. The man reached home and he was telling the story, but he had his own bottle and his companion's bottle and they were making out then that he killed him, his companion, for the bottle of drams. And they were going to hang him just. . .

HD: Like that?

IM: Yes. "Oh well," said the boy, "if you give me a year and if I don't return with my companion at the end of a year you can hang me then." That was fine. He left and as normal and he went over and it was the right moon, I'm not sure what the moon has to be like but everything was right anyway. And here you have it, the rock was open again and they were busily dancing. And this time he brought with him a knife that was made of silver and a cockerel and the Bible. And he went in and he said to his companion, "Here here," he said, "get out of here!" "Oh I've only just done the first dance," he said. They say that the time. . .

HD: . . . goes past so quickly.

IM: Yes. It goes past so quickly. "I've only just done the first dance," he said. "No." "Oh you have,". . . and he grabbed his hand and he took him out and. . . everything was all right then.

•

IM: Iain Mac a' Phearsain

HN: Heather Nic an Deòir

IM: . . . Tha naidheachd eile dìreach a thug nam chuimhne a' sin agus 's e tioram air, Baile Tharbhach a their sinne ris ann an Ìle.

HN: Ò 's e.

IM: Agus bha gobha ann, ann am Baile Tharbhach agus bha an gobha aona mhaidinn samhraidh, bha e a-mach doirbh tràth sa mhaidinn. . . a chionn gun robh mòran obair aige ri dhèanadh an latha sin. Agus bha e dìreach a-staigh sa cheàrdaich. . . bha a' ghealbhan air saod aige agus bha e ag obair leis a' bholg is a h-uile mìr agus a' teasachadh gad iarainn. Agus cò thàinig a-staigh ach sìthmhearach beag agus bha i a' dannsa' mun cheàrdaich agus thuirt e rith[ch]e "Dè do gnothach a' seo a ghalad?" thuirt esan. "Uill, tha naidheachd agam" thuirt a' sìthmhearach "agus chan eil mi a' dol ag innse dhuit." Agus co-dhiù, fhuair an gobha, fhuair e an t-iarainn agus bha e geal teth agus chum e eadar an doras[t] agus a' sìthmhearach agus thuirt e rith[ch]e, "Uill a-mach às a' seo chan fhaigh thu gus an innse thu dhomh do naidheachd." "Uill," thuirt ise, "tha sin a'am naidheachd," thuirt ise, agus thuirt ise:

Cho fad 's a bhios uisge a' ruith[ch]
Is feur a' fàs
Is a' ghrian a' sreap ri speuran
Ri àrd an làn

IM: Iain MacPherson

HD: Heather Dewar

IM: . . . Another story just came into my head there and it is about Baile Tharbhach, we call it on Islay.

HD: Oh yes.

IM: And there was a blacksmith, in Baile Tharbhach and one summer morning the blacksmith, he was out very early in the morning. . . because he had a lot of work to do that day. He was just in the smithy. . . he had the fire going and he was working with the bellows and everything and he was heating up an iron bar. And who came in but a wee fairy and she danced around the smithy and he said to her "What's your business here lass?" he said. "Well, I have a story" said the fairy "and I'm not going to tell you." And anyway, the blacksmith got, he got the iron and it was white hot and he kept it between the door and the fairy and he said to her, "Well out of here you won't get until you tell me your news." "Well," she said, "I do have that, a story," she said, and she said:

So long as water runs
And grass grows
And the sun climbs in the sky
The tide is high

Is na h-eòin san adhar
Bithidh Mac a' Ghobhainn an Easginnis.

Is bha sin gu math. "Och folbh is gabh a-mach a' seo," thuirt an gobha, "tha mi tuilleadh is trang a bhith ag èisteachd ri cle-mhana mar s[h]in." Co-dhiù, bha sin gu math. An ceann dà bhliadhna, thàinig duine a dh'Easginnis agus 's e Mac a' Ghobhainn a bh' air agus cha robh an duine fiadhaich fada anns an àite mun shiubhail e. Agus cha robh e ach an dèidh siubhail thàinig, 's e anns a' gheamhradh a bh' ann, thàinig sneachd mòr agus bha h-uile h-àite, chan fhaigheadh iad a-mach air na rathaidean mòr no stuth no airs[h]on dol don chladh no stuth agus b' fheudar dhaibh an duine a thiodhlacadh ann an Easginnis.

HN: Agus 's e sin carson. . .

IM: Agus tha e ann an Easginnis fhathast, tha Mac a' Ghobhainn ann an Easginnis.

•

And the birds in the air
The son of the Smith will be in Esknish.

And that was fine. "Och away and get out of here," said the blacksmith, "I'm too busy to be listening to mischief like that." Anyway, that was fine. After two years, a man came to Esknish and Smith was his name and he wasn't very long in the place before he died. And he had only just died, it was in the winter, when great snow came and every place, they couldn't get out on the main roads or anything or for going to the graveyard, and they had to bury the man in Esknish.

HD: And that's why. . .

IM: And he's still in Esknish, the son of the Smith is in Esknish.

•

11. An tràigh aig Gart-meadhon far a bheil an t-uisge a' ruith, feur a' fàs, a' ghrian san speur, an làn a-staigh agus na h-eòin san adhar /
The shore at Gartmain where the water runs, the grass grows, the sun is in the sky and the birds are in the air

Seo sgeul mu bhean-shìthe air a chruinneachadh le Gille Brìghde Mac a' Chlèirich. Le taing mhòr don teaghlach Mac a' Chlèirich airson cead a thoirt dhuinn an sgeul fhoillseachadh.

Is e bean-shìthe a bha anns a' Chaointeich. Bha i a' leantainn Chlann MhicAoidh agus fhineachan eile san Roinn Ìlich. Nuair a bhitheadh bàs a' dol a thachairt an aon de na fineachan sin, thigeadh i a dh'ionnsaigh taigh an duine thinn le tonnaig uaine ma guailnean, agus bheireadh i seachad rabhadh don teaghlach le caoidhearan brònach a thogail taobh a-mach an dorais. Cho luath is a chluinneadh càirdean an duine thinn a guth, chailleadh iad dòchas ri dhol am feabhas. Chuala iad a' Chaointeach a' tuireadh agus bu leòir an dearbhadh sin leò gun robh a' chrìoch aig làimh, ach sguir a' Chaointeach a thabhairt sanas seachad do mhuinntir na Ranna. Chualadh i mu dheireadh aig taigh san àite sin o chionn iomadh bliadhna. Bha san àm duine tinn air a leabaidh bàis agus a chàirdean a' feitheamh air. B' e an geamhradh a bha ann agus bha an oidhche fliuch, fuar, le uisge agus gaoith. Sheas i a-muigh aig doras an fhuaraidh den taigh, agus thog i an sin caoidhearan muladach. Chuala an teaghlach a caoidh, agus ghabh aon aca a leithid de thruas dhi agus gun do ghabh e a-mach air doras an fhasgaidh, agus gun d' fhàg e aice seann bhreacan air àite-suidhe, a bha aig taobh an dorais. Thill e a-staigh an sin agus ghlaodh e rithe, "Thig a bhean bhochd air taobh an fhasgaidh, agus cuir umad cirb de mo bhreacan." Air ball sguir. . . a tuireadh, agus o sin gu seo cha chualadh agus chan [fhacas] a' Chaointeach san Roinn.

12. Uinneag ann am Port na h-Abhainne / Window in Portnahaven

This is a story about a fairy woman collected by Gilbert Clark. With thanks to the Clark family for their permission to publish the story.

The Caointeach[2] was a fairy woman. She followed the Clann MacKay and other clans in the Rhinns of Islay. When a death was going to occur in one of these clans, she would come to the house of the person who was ill with a green plaid around her shoulders, and she would warn the family with sad wails outside the door. As soon as the relations of the ill person heard her voice they would lose hope of any recovery. They heard the Caointeach lamenting and this was proof enough for them that the end was at hand, but the Caointeach stopped warning the people of the Rhinns. She was heard for the last time at a house in that area many years ago. At the time a sick man was on his deathbed and his relations were attending to him. It was winter and the night was cold and wet with rain and wind. She stood outside at the windward door of the house, and she raised there sad wailings. The family heard her lament, and one of them took such pity on her that he went out the leeward door, and he left her an old Highland plaid on the seat that was beside the door. He returned inside and he shouted to her, "Come poor woman to the leeward door, and put the piece of my Highland plaid around you." In an instant. . . her lamenting stopped and from then to now the Caointeach was not seen or heard in the Rhinns.

[2] the Caointeach was a female fairy who warned the members of her favourite clans of the approach of death by weeping and wailing near their house.

Tha Lena McKeurtan a' cuimhneachadh air seann chreideamhan, uirsgeulan ainmean-àite am measg rudan eile neo-àbhaisteach. . .

LM: Lena McKeurtan

EE: Emily Edwards

EE: Nuair a bha sibhse òg an robh mòran dhaoine ag iomradh air rudan mar na sìthmhearaich? . . .

LM: Bha sinn a' cluinntinn naidheachdan ach cha robh sinn a' creidsinn anns na rudan sin.

EE: Cha robh. . . ach an cuala sibh iomradh air?

LM: Ò bha iomradh air. Bhiodh sinn a' leigeil oirnn gun robh sinn a' creidsinn. Bhiodh iad a' faicinn bodaich nach robh idir ann ach tha mi a' smaoin[t]eachadh gun robh iad a' feuchainn ri eagal a chur air clann feuch am bitheadh iad math. Ma robh àite cunnartach ann bha air a ràdh ruinn "Na tig an sin, tha bodach ann." Nuair a dh'fhàs sinn nas sine cha robh iomradh air na bodaich. Cha robh eagal oirnn a' dol rathad sam bith. Rachadh sinn a-mach san oidhche dhorcha agus cha robh smaointinn air bòcain no manaidh. 'S e 'manaidh' a bha na h-Ìlich ag ràdh ri 'ghosts'. A bheil eagal ort san dorcha Emily?

EE: Tha uaireannan! [*gàireachdainn*]

LM: Bho chionn fada bhiodh mòran batailtean ann eadar na Lochlannaich, Clann Dòmhnaill, Clann Ghill'Eathain agus iomadach clann eile. A' chuid a bha òr no airgead aca bha

Lena McKeurtan remembers old beliefs, place-name legends amongst other strange things. . .

LM: Lena McKeurtan

EE: Emily Edwards

EE: When you were young did many people talk about things like the fairies?. . .

LM: We heard stories but we didn't believe in those things.

EE: No. . . but you heard it mentioned?

LM: Oh there was mention of it. We would pretend that we believed. They saw old men that weren't at all there but I think they were trying to scare the children so they would be good. If there was a dangerous place it was said to us "Don't go there, there's an old man there." When we got older there was no mention of the old men. We weren't scared to go anywhere. We would go out in a dark night and there was no thought of apparitions or ghosts. It's 'manaidh' that the Islay people call ghosts. Are you scared of the dark Emily?

EE: Sometimes! [*laughing*]

LM: A long time ago there were a lot of battles between the Vikings, the MacDonalds, the MacLeans and lots of other clans. Some of them had gold or silver and they buried it

iad ga thiodhlacadh airson a chumail sàbhailte an earalas gun tachaireadh tubaist sam bith dhaibh. 'S e 'ulaidh' a bha sinn ag ràdh ris a' seo. Uaireannan bha iad air am marbhadh agus cha robh fios aig duine cà' robh an t-airgead. Tha iomadh aon ann an Ìle a fhuair ulaidh. . . Bhiodh sinn ag èisteachd ris na seann daoine a' bruidhinn agus bhiodh iad ag ràdh "Bhruadair mo sheanair no mo sheanmhair air ulaidh agus ma bhruadaireas tu air an ulaidh, is tusa a bu chòir a faotainn." Bha iad ag ràdh, ma ghoideas cuideigin eile an ulaidh sin nach bu chòir a bhith aca, cha tig leoth[ch]a gu math.

EE: Uh-huh.

LM: Bhruadair mo sheanmhair air ulaidh agus bha i ag innseadh far an robh i. Bliadhnaichean an dèidh seo smaoinich mi fhè' agus mo bhràthair gun tigeadh sinn airson an ulaidh. Bha fhios againn nach bu chòir dhuinn ach co-dhiù tharraing sin às. Bha sinn leth an rathad agus thuirt mi rim bhràthair "An cuala tu mun fhear a bha a' goid ulaidh cuideigin eile agus nuair a bha e a' cladhach thug cuideigin nach fhaca e a bhas dha sa leth-cheann. Fhuair e an droch eagal, thog e an spaid agus tharraing e dhachaigh." Thuirt mo bhràthair, "Cha do bhruadair sinne air an ulaidh, ò 's fhèarr dhuinn tilleadh air ais!" " 'S fhèarr!" thuirt mi fhè', "cha bu toil leamsa aon fhaotainn sa leth-cheann!"

EE: So cha d' fhuair duine sam bith e fhathast?

LM: Cha chuala mi gun d' fhuair, ma dh'fhaoidte gum bruadair mi fhè' fhathast! [*gàireachdainn*]

EE: Ò uill na dhì-chuimhnich mise! [*gàireachdainn*]

LM: Bhiodh iad ag innse mòran naidheachdan mu dhaoine a bha air folbh ann an riochd, ma dh'fhaoidte riochd geàrraich no cat no cù no beathach sam bith. Chuala mi iomradh air fear a bha folbh le caileag, agus am fear seo eile, cha robh e toilichte. . . Dh'fholbh an dàrna fear ann an riochd cait agus sgròb e aodann a' chiad fhir. Thuig am fear a bha sgròbte dè thachair. . . Tha mòran ann an Ìle nach ith geàrraich agus nach marbh geàrraich. Bha mi le boireannach a' gabhail cuairt agus chunnaic sinn geàrraich.

to keep it safe in case any accident happened to them. We called this 'ulaidh' [a treasure trove]. Sometimes they were killed and no-one knew where the money was. There are many Islay people who got a treasure trove. . . We would listen to the old people talking and they would say "My grandfather or my grandmother dreamt about a treasure trove and if you dream about it, it's you that should get it." They said if someone else steals that treasure trove that shouldn't have it, things won't go well for them.

EE: Uh-huh.

LM: My grandmother dreamt of a treasure trove and she told us where it was. Years afterwards myself and my brother thought we would go for the treasure trove. We knew that we shouldn't but anyway we went after it. We were half way there and I said to my brother "Did you hear about the man who was stealing someone else's treasure trove and when he was digging someone who he never saw skelped him on the side of the head. He got a terrible fright, he lifted the spade and he went home." My brother said, "We didn't dream about the treasure trove, we should go back!" "Yes!" I said, "I wouldn't like to get one on the side of the head!"

EE: So no-one got it yet?

LM: I never heard that they did, I might dream about it yet! [*laughing*]

EE: Oh well don't forget me! [*laughing*]

LM: They would tell a lot of stories about people who went into a [different] form, maybe a form of a hare or a cat or a dog or any animal. I heard about a man who was going out with a girl, and this other man, he wasn't happy. . . The second man went away into a form of a cat and he scratched the face of the first man. The man who was scratched understood what happened. . . There are lots of people on Islay that won't eat hares and won't kill hares. I was with a woman taking a walk and we saw a hare. I said

13. Geàrr no riochd seann chaillich ann an Ìle / A hare or the form of an old woman on Islay

Thuirt mi ris a' bhoireannach, "Nach e bhiodh math anns a' phoit!" 'S toil leam fhèin geàrraich. Thuirt i rium, "Chan ithinn sgrog dheth, chan eil fios agad cò tha thu ag itheadh!" Thuirt mise gu neo-chiontach, "Dè tha thu a' ciallachadh?" Fhreagair i mi ag ràdh, "Dh'fhaoidte gu bheil e ann an riochd seana chailleach 's gum bi e cho righinn ris na teudan!"

EE: [*gàireachdainn*] Agus bha sibh ag innse dhomh mu bhatailtean?

LM: Chuala a h-uile duine mu Bhatailt Tràigh Ghruineart, ach a rèir ainmean bha batailt eile dlùth air Port Asgaig aig Ruadhphort. Tha eas an sin agus 's e 'Eas na Fola' is ainm dhìth. Tha an eas a' seo a' ruith[ch] seachad air cnoc is seo Cnoc a' Chrochadh. 'S fheudar gu robh iad air an leòn dlùth air an eas is gun deach an fhuil a-steach don eas agus gun deach an crochadh air a' chnoc seo. Chaidh na cinn a thilgeil thar na creige ann am Port Asgaig don fhairge. 'S e 'Creag nan Ceann' ainm na creig seo. Tha mise a' fantail ann an Ruadhphort Beag ach mìle tuath bhuam tha Ruadhphort Mòr. Chaidh still a thogail an sin agus 's e Caol Ila Distillery an t-ainm air an still. Tha mòran a' smaoineachadh gur e Caol Ila ainm a' bhaile bheag seo ach chan e, 's e Ruadhphort bha sinn daonnan ag ràdh. Tha soighne aig ceann a' rathaid mhòr 'Caol Ila' ach tha seo ceàrr. 'S e 'Caol Ila Distillery' a bu chòir a bhith air a' soighne, ma tha thu a' ciallachadh dol do Chaol Ila bhitheadh tu gu math fluich! [*gàireachdainn*]

•

to the woman, "Wouldn't it be good in the pot!" I like hare myself. She said to me, "I wouldn't eat a bit of it, you don't know who you are eating!" I said innocently "What do you mean?" She answered me saying, "Maybe it's the form of an old woman and it'll be as tough as the strings!"

EE: [*laughing*] And you were telling me about battles?

LM: Everyone has heard about the Battle of Gruinart Bay, but according to names there was another battle near Port Askaig at Ruadhphort. There is a waterfall there and it's called 'Eas na Fola' [waterfall of the blood]. This waterfall runs past Cnoc a' Chrochadh [hill of the hangings]. They must have been wounded close to the waterfall and the blood went into the waterfall and they were hanged on this hill. The heads were thrown over the rocks in Port Askaig to the sea. This rock is called 'Cnoc nan Ceann' [hill of the heads]. I stay at Ruadhphort Beag but a mile north from me is Ruadhphort Mòr. A distillery was built there and the distillery is called Caol Ila Distillery. Lots of people think that Caol Ila is the name of the wee village this but it's not, it's Ruadhphort we always called it. There's a sign at the top of the main road 'Caol Ila' but this is wrong. It's 'Caol Ila Distillery' that should be on the sign, if you mean to go to Caol Ila [the Sound of Islay] you would be very wet!

•

14. Croch a' Chrochadh faisg air Port Asgaig far an robh daoine air an crochadh / Croch a' Chrochadh near Port Askaig where people were hanged

Tha Iain Mac a' Phearsain ag innse dhuinn mu òr a tha air falach ann an Ìle. . .

IM: Iain Mac a' Phearsain

HN: Heather Nic an Deòir

EE: Emily Edwards

IM: Uill, tha iad ag ràdh, tha an t-àite a'am fhè' a-nis agus shìos ann an s[h]in 's e Gleann Falach Ìle a their iad ris. . . 'S e dè tha e a' ciallachadh an t-ainm ach tha e air a dhèanadh goirid airs[h]on sin 's e dè tha an t-ainm a' ciallachadh gu bheil prìs an eilein air falach anns a' ghleann seo.

HN: A bheil?

IM: Agus tha iad ag ràdh gun deach prìs, nan cheannaicheadh

15. Gleann Falach Ìle far a bheil prìs an eilein am falach /
The Hidden Glen of Islay where it is said the price of the island is hidden

Iain MacPherson tells us of gold hidden on Islay. . .

IM: Iain MacPherson

HD: Heather Dewar

EE: Emily Edwards

IM: Well, they say, I have the place myself now, and down there they call it Gleann Falach Ìle [Hidden Glen of Islay] . . . What the name means but it has been shortened, for the name means that the price of the island is hidden in this glen.

HD: Is it?

IM: And they say that the price was put, if the island was

an t-eilean, a-nis chan eil fhios nan cheannaicheadh an-diugh e ach. . .

HN: Anns an àm.

IM: . . . ann an craiceann searrach agus 's e òr a th' ann, agus ma tha thu nad sheasamh, a-nis tha a h-uile stuth air atharrachadh, bidh craobhan a' cinntinn. . . is bhiodh tu nad sheasamh agus chìtheadh tu trì de shimilearan den taigh mhòr, an Taigh Bhàn, agus chìtheadh tu rudeigin shìos mu Ghartbreac ach chan eil cuimhne 'am a-nis dè bha sin. Agus bha comhairle air choreigin eile a-bhos air an taigh.

HN: Anns an àite a bha thusa a' seasamh, chìtheadh tu iad às a' seo air fad.

IM: Ma bha thusa nad sheasamh agus chìtheadh tu sin, bha thu nad sheasamh air muin an ulaidh. . . agus s[h]in 'ad dè mar a fhuair e an t-ainm Gleann Falach Ìle.

HN: Càit a bheil e? . . .

EE: Faisg air a' Ghortan an e?

IM: S[h]in 'ad e.

•

bought, now I don't know if it would buy it today but. . .

HD: At the time.

IM: . . . in the skin of a foal and it's gold, and if you're standing, now everything has changed, trees grow. . . and you would stand and you could see three of the chimneys of the big house, of Islay House, and you could see something down around Gartbreck but I can't remember what that was now. And there was another sort of indication over on the house.

HD: In the place that you were standing, you could see them all from here.

IM: If you were standing and you would see that, you were standing on top of the treasure. . . and that's how it got the name Gleann Falach Ìle.

HD: Where is it? . . .

EE: Near Gortan is it?

IM: That's it.

•

16a. Chaidh a chreidsinn gun robh clachan geal neo-shealbhach air na bàtan iasgaich

Tha Seumas MacPhàrlain ag innse dhuinn dè bha sealbhach no neo-shealbhach am measg nan iasgairean. . .

SM: Seumas MacPhàrlain

HN: Heather Nic an Deòir

HN: Agus dè tioram air, chan eil fhios 'am air an fhacal Gàidhlig air a s[h]on ach superstitions, an robh superstitions ann tha fhios 'ad mun tigeadh thu a-mach [ag iasgach]?

SM: Ò bha. Uill. . . mar a bha thu a' tionndachadh a' bhàta dh'fheumadh tu daonnan a' tionndachadh leis a' ghrian.

HN: 'S e, deiseal. . . a' chuid as motha de na rudan 's e daonnan deiseal a dh'fheumas tu a' dol leoth[ch]a, 's e droch chomharradh a bh' ann.

SM: Agus aig fairge cuideachd, ma bha cothrom a'ad bha thu a' tionndachadh a' bhàta agus ga cur mu chuairt daonnan deiseal. 'S[h] e. Rud eile, chan fhaiceadh tu uair sam bith clachan geal, quartz, air feadh a' bhalaist.

HN: Ò carson? Droch chomharradh a bha sin?

SM: A chionn droch chomharradh. Ma faiceadh iad crioman beag car uair air oisean h-aon de na doirneagan. . . anns na clachan bhalaist.

HN: Ò seadh, a-mach leis?

16b. Quartz was believed to be unlucky on the fishing boats

James MacFarlane tells of what was believed to be lucky or unlucky amongst the fishermen. . .

JM: James MacFarlane

HD: Heather Dewar

HD: And what about, I don't know the Gaelic word for superstitions, were there superstitions you know about before you went out [fishing]?

JM: Oh yes. Well. . . when you were turning the boat you always had to turn it with the sun.

HD: Yes, clockwise. . . most of the things it was always clockwise you had to go with them, it was a bad sign.

JM: And at sea as well, if you had the chance you turned the boat around always clockwise. Yes. Another thing, you could never at any time see white stone, quartz, in the ballast.

HD: Oh why not? That was a bad sign?

JM: Because it was a bad sign. If they saw a wee bit sometimes on the corner of one of the ballast stones. . .

HD: Oh right, out with it?

SM: A-mach leis, bhiodh sin a' cur droch chomharradh air bàtan. Rudan den t-seòrsa sin. Tha dà no trì rudan ann, mnathan le gruag dhearg. . .

HN: Bha sin fiadhaich comharradh dona.

SM: Dh'fholbhadh tu dhachaigh. . .

HN: An e sin ma robh thu a' coiseachd sìos a' dol a-mach a dh'iasgach ma tachair thu ri cuideigin mar s[h]in?

SM: 'S[h] e. Bha feadhainn de na h-iasgairean às Ceann Loch, bha caileag òg le gruag dhearg ann an h-aon de na teaghlaichean agus mar a bha an t-iasgach math, an t-iasgach sgadain, bha iad ga cur air folbh a dh'fhantail le a seanmhair no rudeigin fhad 's nach faiceadh iad i.

HN: Nach èibhinn sin?

•

Tha Iain Mac a' Phearsain agus Heather Nic an Deòir a' cuimhneachadh air saobh-chràbhaidhean a bhiodh a' tachairt aig àm na Nollaige. . .

IM: Iain Mac a' Phearsain

HN: Heather Nic an Deòir

EE: Emily Edwards

HN: . . . A bheil cuimhne 'ad idir fhathast air stuth drol no sean fhasanta a bha a' tachairt aig àm na Nollaig no aig àm a' Challain? . . .

IM: Uill, tha. Bha mòran aig a' dhùthaich. Thigeadh iad a-mach, abair an duine san taigh, a-nis thigeadh esan a-mach leis an t-seana bliadhna agus bhiodh e a-mach agus bheireadh e sin a-staigh leis fòid mòine. Dh'fheumadh seo a bhith. . . air an cur air òrdugh ron àm, fòid mòine, ma

JM: Out with it, that was a bad omen for the boat. Things like that. There were two or three things, women with red hair. . .

HD: That was a very bad sign.

JM: You would have to go home. . .

HD: Was that if you were walking down to go out fishing if you met someone like that?

JM: Yes. Some of the fishermen in Campbeltown, there was a young girl with red hair there in one of the families and when the fishing was good, the herring fishing, they sent her away to stay with her grandmother or something so that they wouldn't see her.

HD: Isn't that strange?

•

Iain MacPherson and Heather Dewar remember superstitions that happened around Christmas time. . .

IM: Iain MacPherson

HD: Heather Dewar

EE: Emily Edwards

HD: . . . Do you still remember any strange or old fashioned things that happened at Christmas time or New Year? . . .

IM: Well, yes. There were a lot in the rural areas. They would come out, say the man in the house, now he would come out with the old year and he would be out and he would bring a turf of peat in with him. This would have to be. . . organised beforehand, a turf of peat, maybe bread and a

dh'fhaoidte àran agus deoch de seòrsa air choreigin agus. . . bu toil leoth[ch]a, uill anns na làithean fada air ais, bu toil leotha gual. . .

EE: Ò 's e.

IM: Meall guail. . . no fòid, cho fada 's a bha rudeigin ann airs[h]on a' ghealbhain a ghleidheil a' dol, rudeigin airs[h]on an t-acras a ghleidheil air folbh agus deoch de seòrsa air choreigin. . . Agus bha mòran aig a' ghaoith a dhèanadh leis.

HN: Ò an robh?

IM: Thigeadh iadsan a-staigh sin is bhiodh e ag ràdh, uill, 's e gu tuath no gu deas no gun ear ma 's e sin a th' ann agus mòran a' sin a dhèanadh leis dè rathad a bha a' ghaoith a' sèideadh dè seòrsa. . . bha fios aca dè bha romhpa airs[h]on na bliadhna agus dè seòrsa bliadhna a bha a' dol a bhith ann. . . Nise, sin 'ad seòrsa rudan bhiodh m' athair fhèin a' dèanadh, gnothaichean mar s[h]in ach cha robh thu a' gabhail amhuil.

HN: Cha robh. . . Tha cuimhne a'amsa mar a bha sinne a' fantail air folbh, aon uair is gun robh dìreach mionaid ro meadhan oidhche bha m' athair a' fosgladh an doras chùil a leigeil a' sean bhliadhna a-mach agus a' sin bhiodh e a' fosgladh an doras aghaidh agus bha sinn a' sguabadh a' sean bhliadhna a-mach às an doras chùil.

•

drink of some sort and. . . they liked, well, in the days long ago, they liked coal. . .

EE: Oh yes.

IM: A lump of coal. . . or a peat, so long as there was something to keep the fire going, something to keep the hunger away and a drink of some kind. . . And the wind had a lot to do with it.

HD: Oh did it?

IM: They would come in and he would say, well, it's northerly or southerly or easterly if that's what it was and it was a lot to do with what direction the wind blew what sort of. . . they knew what was before them for the year and what sort of year there would be. . . Now, that's the sort of things my own father would do, things like that, but you didn't pay attention.

HD: No. . . I remember when we lived away, as soon as it was one minute before midnight my father opened the back door to let the old year out and then he would open the front door and we swept the old year out the back door.

•

Tha Betsy West agus Màiri Chaimbeul ag innse dhuinn mu chreideamhan 'a' Chailleach Bhuain' ann am Port na h-Abhainne. . .

BW: Betsy West

MC: Màiri Chaimbeul

EE: Emily Edwards

BW: Cailleach Bhuain, 's e. Agus bhiodh iad a' dèanadh an rud seo cuideachd aig an ceart àm. . . 'S e 'True Lover's Knot' no rudeigin a bh' air, an e?

MC: 'S e, 's[h] e.

BW: Sin 'ad a bha air a dhèanadh às, an e 'coirce' a their thu ris?

MC: Coirce, 's e.

BW: Coirce, agus tha thu a' cur an rud sin mu chuairt. S[h]eo 'ad am pìos ga ghleidheil a-staigh fhaic thu. Dà phìos a tha thu a' tòiseachadh leis agus tha iad ga bhualadh, na rudan a' dol thar ri chèile. . . Ach tha thu a' cur fear air gach ceann dheth gu cinnteach agus pìosa beag snàthainn air agus bha thu a' sin ga chur mu chuairt, sin 'ad True Lover's Knot. . .

EE: True Lover's Knot.

BW: . . . S[h]in 'ad airs[h]on ga thoirt, boyfriend ga thoirt don girlfriend. . .

17. True Lover's Knot dèante le coirce agus air a thoirt do chaileig bhon leannan aice /
True Lover's Knot made from oats and given from boyfriend to girlfriend

Betsy West and Mary Campbell tell us of beliefs associated with the 'Cailleach Bhuain'[3] in Portnahaven. . .

BW: Betsy West

MC: Mary Campbell

EE: Emily Edwards

BW: Cailleach Bhuain [lit. the old woman of harvest] yes. And they would make this thing too at the same time. . . It's 'True Lover's Knot' or something that they call it, is it?

MC: Yes, yes.

BW: That's what it was made from, is it 'oats' that you call it?

MC: Oats, yes.

BW: Oats, and you put that thing around. Here you have the piece that keeps it in you see. You start with two pieces and they join it, the things go over each other. . . But you definitely put one at both ends and a wee piece of thread on it and then you put it round, there you have a True Lover's Knot. . .

EE: True Lover's Knot.

BW: . . . That's for giving, a boyfriend to give to a girlfriend. . .

[3] the Cailleach Bhuain was the last sheaf of the harvest which had many traditional beliefs associated with it.

18.
A' Chailleach Bhuain dèante le feur an àite coirce / The Cailleach Bhuain made with grass instead of oats

EE: Ò tha sin snog! Is dè bha sibh a' dèanamh leis?

MC: Bha thu ga chur ann am buttonhole.

EE: Seadh. Agus dè mu dheidhinn Cailleach Bhuain? Dè bha sibh a' dèanamh leis a' sin?

BW: Ò bha i suas air a' bhalla.

MC: Bha e a' crochadh air a' bhalla.

EE: An innis sibh dhomh ciamar a bha sibh a' dèanamh a' Chailleach Bhuain?. . .

BW: Bha thu a' toirt leat, cà' bheil an rud, dà phìos pàipeir is leigidh mi fhaicinn dhuit. . . A' Chailleach Bhuain. [*BW a' reubadh dà phìos paipear-naidheachd*] S[h]in agad sop, cò ainm a th' air, s[h]in agad ceann dheth. . . s[h]eo agad còmhlach, s[h]eo agad far a bheil sìol a' cinntinn agus tha thu a' dèanadh dhithis aca a' sin agus gan toirt còmhla agus gan ceangal ann an s[h]in. Agus aig ceann a' choirce, agus s[h]eo 'ad pìosa sopanan shìos a' sin agus tha an ceangal sin còmhla. S[h]in agad Cailleach Bhuain agus bha thu a' seo ga crochadh.

EE: Am b' e am pìos mu dheireadh den coirce?. . .

BW: Am pìosa mu dheireadh a tha iad a' buain, an sguab mu dheireadh s[h]in 'ad an rud a tha iad a' gabhail. Dà phìosa dheth agus gan cur mar s[h]in agus a' cur an rud timcheall orra agus gan gleidheil. Dè tha iad a' dèanadh leis,

EE: Oh that's nice! And what did you do with it?

MC: You put it in a buttonhole.

EE: Right. And what about the Cailleach Bhuain? What did you do with that?

BW: Oh it was up on the wall.

MC: It hung on the wall.

EE: Will you tell me about how you made the Cailleach Bhuain?. . .

BW: Well, you brought with you, where's the thing, two pieces of paper and I'll show you. . . A' Chailleach Bhuain. [*BW rips up two strips of newspaper*] There you have some straw, that's the name of it, there you have the end of it. . . here's the straw, that's where the seed grows and you make two of them and bring them together and tie them there. And at the top of the oat, and here you have one piece of straw down there that ties that together. That's the Cailleach Bhuain and then you hung it.

EE: Was it the last sheaf of the straw?

BW: The last piece that they harvest, the last sheaf, that's what you take. Two pieces of it and put them like that and put a thing round them and keep them. What do they do with it, they used to say that the next year they gave it to the horse

b' àbhaist dhaibh ag ràdh an ath bhliadhna gun robh a' toirt don each air thoiseach air treabhadh, gun robh iad a' toirt dha ach tha feadhainn eile ag ràdh rud eile ach. . . a bhos an seo [taobh Port na h-Abhainne] s[h]in 'ad a tha iad ag ràdh, s[h]in 'ad cars[h]on a bha e, bha iad a' dèanadh dheth. Bha iad ga gleidheil fad a' gheamhraidh agus bha iad a' sin a' toirt. . . don each mun tòisich iad air treabhadh. . .

MC: Cha robh e math dhuit a toirt thar a' bhalla gus. . . am biodh an ath fhear ann.

BW: Gus am biodh an ath fhear ann. Ah uill, s[h]in 'ad am fear a bh' againne, bha thu gan toirt don each mun do thòisich e air treabhadh an ath bhliadhna.

EE: Agus an robh e a' dol air a' bhalla ann an àite sònraichte?

BW: Ò dìreach air taobh an teine ann an àiteachan.

EE: Ri taobh a' ghealbhain?

BW: 'S[h] e, ri taobh a' ghealbhain, bhiodh e shuas ri taobh an àite no mu chuairt an àite air a' bhalla. . .

•

before ploughing, that they gave it to him but some others say something else. . . but over here [around Portnahaven] that's what they say, that's why it was, they made them. They kept them all winter and they then gave. . . to the horse before they started ploughing. . .

MC: It wasn't allowed to take it from the wall until. . . the next one would be there.

BW: Until the next one would be there. Ah well, that's the one that we had, you gave it to the horse before it started the ploughing the next year.

EE: And did it go on the wall in a particular place?

BW: Oh just beside the fire somewhere.

EE: Beside the fireplace?

BW: Yes, beside the fireplace, it would be up beside the [fire]place or about the place on the wall. . .

•

19. A' togail muillean faisg air Port na h-Abhainne /
Making a haystack near Portnahaven

3.
Muinntir an Àite agus Na Seann Làithean/
Local People and Days Gone By

Tha Màiri NicEacharna a' cuimhneachadh air dè mar a bha e a bhith a' fantail aig an taigh-solais aig Ceann MhacArtair. . .

MN: Màiri NicEacharna

EE: Emily Edwards

EE: So an innis sibh dhomh ciamar a bha e shìos aig Ceann MhacArtair nuair a bha sibh a' fantail ann?

MN: Uill, mar a phòs sinn. . . cha deach mise ann gus an do rug mo mhac an toiseach ach chaidh A_____ ann toiseach Mhàirt agus chaidh mise ann deireadh Mhàirt, nineteen forty six. . . Agus bha sinn a' sin gus September forty eight. Ach mar a bha sinn a' sin bha e fiadhaich uaigneach, cha robh daoine ann ach dà theaghlach. . . Bha na taighean ann. Uill, 's e aig fairge a bha A_____ bha e a' smaoin[t]eachadh mar a phòs sin gum biodh e na b' fheàrr, tha fhios 'ad, nan robh sinn còmhla, agus chaidh e a' sin do na taighean-solais[t] agus mar a crìochnaich e far an robh e ag ionnsachadh an dòigh, an obair a thagh e a' sin, chaidh sinn a chur a Cheann MhacArtair. Sin. . . cars[h]on a bha sinn a' sin. Ach bha sinn a' sin. . . September forty six.

20. Màiri NicEacharna / Mary McKechnie

Mary McKechnie remembers what it was like living at MacArthur's Head lighthouse. . .

MM: Mary McKechnie

EE: Emily Edwards

EE: So will you tell me about what is was like at MacArthur's Head when you lived there?

MM: Well, when we got married. . . I didn't go there first until my son was born but A_____ went there at the beginning of March and I went there at the end of March in nineteen forty six. . . And we were there until September forty eight. But when we were there it was very lonely, there was no-one there except two families. . . The houses were there. Well, A_____ was at sea, he thought that once we were married that it would be better, you know, if we were together and he went then to the lighthouses and when he finished where he was learning the way, the work he chose there, we were put to MacArthur's Head. That's. . . why we were there. But we were there [in]. . . September forty six. Nineteen forty eight, September forty eight we went to

Nineteen forty eight, September forty eight chaidh sinn don Eilean Mhannarach. . . Och bha ach bu toil leamsa. . . bha e uaigneach Ceann MhacArtair ach bha rudeigin gasta tiomailt air cuideachd. Bha.

EE: Chan eil rathad a' dol ann so. . .

MN: Chan eil rathad ann ach ma bha fhios 'ad air an dòigh anns an àm sin, bha rathad a-null, gheobhadh tu rathad. . . Ardtalla, fearann a' sin, gheobhadh tu coiseachd ach bha astar ann a' coiseachd a-nall thar a' mhòine Ardtalla. Agus a' sin, ma bha e a dhìth ort bha càr a' feitheamh ort a' sin airs[h]on gan toirt. Ach an aon dòigh a gheobhadh tu ann, bha sinn a' faotainn a' bhata le na gnothaichean air Disathairne, a h-uile Disathairne, uair san t-seachdain a' tighinn le rud sas bith a bha feum 'ad air. 'S e M_____ a bha ann san àm a bha mise ann, leis a' hotel, an siop.

EE: Ann am Port Asgaig?

MN: Ann am Port Asgaig, 's[h] e. Uill, bha thu dìreach, bha fòn a'ainn agus gu lucky cha robh thu ach a' cur fios a-staigh le dè bha dhìth ort agus bha iad a' cur ris dè bha dhìth ort a h-uile Disathairne.

EE: Agus dè mar a bha sibh a' faotainn na gnothaichean bhon bhàta? An robh iad gan toirt shuas na. . . steapaichean?

MN: Uill, b' e bàta an taigh-sholais a bh' ann agus bha e fhè' agus dà balach òg leis daonnan, uill am bitheantas ach gu h-àraid anns a' gheamhradh mar a bha e doirbh a' sin agus uair san t-seachdain, a h-uile Disathairne a bha iad a' dol sìos le na messages.

EE: An robh iad a' tighinn shuas na steapaichean leis na gnothaichean?

MN: . . . Cha robh, chan fhaic thu e air a' sin [*air an dealbh*] ach bha rud a' sin, winch ann.

EE: Ò bha winch agaibh.

MN: Bha platform mòr ann agus winch ann agus bha iad ga chur. . . ann an rud agus bha iad ga piucadh air agus bha iad a' sin ga casadh suas. [*gàireachdainn*]

EE: Seadh.

the Isle of Man. . . Och I liked. . . it was lonely MacArthur's Head but there was something nice about it too. Yes.

EE: There's not a road that goes there so. . .

MM: There's not a road there but if you knew the way at the time, there was a road over, you would get the. . . Ardtalla road, the farm there, you could walk but it was a distance walking over the Ardtalla moor. And then, if you needed it there was a car waiting for you there for taking. But the only way that you got there, we got a boat with the messages on Saturday, every Saturday, once a week it came with anything that you needed. It was M_____that was there at the time that I was there, with the hotel, the shop.

EE: In Port Askaig?

MM: In Port Askaig, yes. Well, you just, we had a phone and luckily you only had to let them know with what you needed and they added what you needed every Saturday.

EE: And how did you get the messages from the boat? Did they bring them up the. . . steps. . . ?

MM: Well, it was the boat that belonged to the lighthouse and himself and two young boys always came with him, well normally but especially in the winter when it was difficult [weather] and once a week, every Saturday they came down with the messages.

EE: Did they come up the steps with the messages?

MM: . . . No, you can't see it there [*on the photograph*] but there was a thing, there was a winch.

EE: Oh you had a winch.

MM: There was a big platform and a winch and they put it. . . in a thing and they picked it up and then they winched it up. [*laughing*]

EE: Right.

MN: Agus 's e sin an dòigh a bha iad a' toirt an gual suas, bha iad a' toirt an gual a-staigh gu h-ìseal ach bha a'ainn a' sin a chur ann am bagaichean is ga chrochadh air a' sin agus ga thoirt shuas chun na taighean. Còrr is seachd tunna.

EE: Seadh. Agus an robh dealain. . . agaibh?

MN: Cha robh, cha robh stuth, cha robh electricity even san eilean aig an àm. Cha robh electricity san eilean. Ach an aon rud, bha sinn lucky bha fòn ann. Bha fòn ann a bha a' tighinn a-nall am monadh is seachad air ais thall a-nall de mhonadh air fad a' sin. Ach bha e cunnartach mar a bha tàirneanach agus dealain ann, dealain gu h-àraid. . . H-aon de na tripeannan scorch an dealain am pole gu leth. . . Ach mhiss A_____ e agus bu toil leamsa e mu dheireadh cuideachd. . . ann an dòigh ach fhaic thu bha mo mhac, balach beag bha e fiadhaich coimheach. Cha robh e a' faicinn daoine. . .

EE: . . . Agus an robh mòran obair an sàs leis an taigh-solais?

MN: Cha robh obair mar s[h]in ann airson a' gleidheil an taigh-sholais[t] ann an òrdugh agus na taighean, feur ri ghearradh is rudan mar sin. . . Ach bha. . . rudeigin gasta tiomailt air a bhith ann. Fhaic thu cha robh. . . stuth a'ad a thoirt leat, bha a-uile rud ann, a h-uile rud, na leabaichean, plangaidean, sheetichean agus a h-uile mìr dheth sin ann. Bha thu a' faotainn sin airs[h]on trì leabaichean, a' faotainn na [?] plangaidean agus covers agus na sheetichean is pillowslips is a h-uile mìr dheth sin.

EE: So bha e cofhartail is. . .

MN: Bha agus bha na trì leabaichean ann agus bha dà seòm[b]ar mòr ann gu h-ìseal agus pantry mòr agus cidsin a' seo agus bha pantry thar a' chidsin far an robh. . . oil cooker ann cuideachd agus b' urrainn dhuit an àmhann a [?] ma bha e a dhìth ort a dheasachadh an dòigh sin. Bha àmhann ann a' [?] tu, 's e paraffin a bh' ann. Bha rudeigin gasta tiomailt air ach mhiss sinne e mar a dh'fhàg sinn. . .

EE: An deach cuideigin eile ann às dèidh sibhse fhàgail?

MN: Mar a dh'fholbh sinne thàinig cuideigin eile nar h-àite

MM: And that was the way that they brought the coal up, they brought the coal in below and we then had to put it in bags and to hang it there and bring it up to the houses. More than seven tonnes.

EE: Right. And did you. . . have electricity?

MM: No, there wasn't anything, there wasn't even electricity on the island at the time. There wasn't electricity on the island. But the one thing, we were lucky that there was a phone. There was a phone that came over the moor and back over across the whole moor there. But it was dangerous when there was thunder and lightening, lightening especially. . . One time the lightening scorched half the pole. . . But A_____ missed it [MacArthur's Head] and I liked it eventually as well. . . in a way but you see my son, a wee boy he was very shy. He never saw anyone. . .

EE: . . . And was there a lot of work involved with the lighthouse?

MM: There wasn't a lot of work for keeping the lighthouse in order and the houses, grass to cut and things like that. . . But. . . there was something nice about being there. You see. . . you didn't have to bring anything with you, everything was there, everything, the beds, blankets, sheets and everything like that. You got that for three beds, you got the [?] blankets and covers and the sheets and pillowslips and everything like that.

EE: So it was quite comfortable and. . .

MM: Yes and the three beds were there and two big rooms below and a big pantry and a kitchen here and there was a pantry off the kitchen where there was. . . an oil cooker as well and you could [?] the oven if you needed to bake in that way. There was an oven you could [?], it was paraffin. There was something nice about it but we missed it when we left. . .

EE: Did someone else go there after you left?

MM: When we left someone else came in our place and they

agus bha iad ga shifteadh bho àite gu àite. . . Ò uill, cha robh ann ach, an e dà light keeper a bh' ann? Cha chreid mise gun robh mnathan leoth[ch]a an dèidh dhuinne fàgail. Uill bha iad a' sin ann agus chaidh iadsan a shifteadh gus am Mull of Kintyre. . . Ach bha rudeigin gasta tiomailt air Ceann MhacArtair. . . Ach bha e fiadhaich cunnartach, a chionn fhaic thu cha robh ann ach creagan, fhaic thu, bha thu air taobh a-staigh a' bhalla agus ma bha thu a' sin a' tighinn a-nìos na staidhrichean a' sin. . . three hundred and twenty. . .

EE: An e?

MN: . . . suas agus a' sin aon suas, bha trì [staidhrichean] ann h-aon a' dèanadh suas, sin am fear a b' fhaide bha esan a-bhos a' sin agus bha sin fear suas mar s[h]in agus bha fear eile ann ma thig thu suas chun a' gheata. Bha mòran staidhrichean ann. Ach bha, bha rudeigin fiadhaich gasta tiomailt air. . . Chan fhaic thu e tuilleadh le na taighean ann. Agus cha d' rinn iad ach tilgeil a h-uile mìr dheth sin thar a' bhalla sìos don gheodha.

EE: An e sin a rinn iad?

MN: A h-uile mìr thar a' bhalla sìos don gheodha. . . Agus bha rudan gasta ann a chionn 's e. . . bha a h-uile rud ann, na bùird agus na cathraichean a h-uile mìr, bha, is na leabaichean. . . is [?] a h-uile rud ann. . . Bha paint store ann. . . far an robh sinne a' nigheadaireachd, bha àite mòr ann airs[h]on nigheadaireachd agus a chur air a' ghealbhan agus boiler mòr ann airs[h]on nigheadaireachd. Agus far an robh thu a' cur an gual, bha àite a'ad airs[h]on do ghual fhè' h-aon air gach ceann den taigh agus bha na toilets ann, bath agus toilet ann ach 's e a-mach a bha sin, bha sin air taobh a-mach den taigh. . . Ach bha Ceann MhacArtair. . . bidh mise a' smaoin[t]eachadh air glè bhitheanta. . . ach bha e cunnartach san t-samhradh airs[h]on nathraichean.

EE: Ò an robh?

MN: Ò bha, bha e cunnartach, fiadhaich cunnartach. Bha e dìreach doirbh. . . Bha iad even a' tighinn a-mach air an t-cement anns an t-samhradh leis an teas [?] a' sin. . . Ò bha. Nan robh na taighean ann, dh'fhanainnsa gu toilichte

shifted him from place to place. . . Oh well, there was only, was it two light keepers? I don't think they had wives with them after we left. Well, they were there until they were shifted to the Mull of Kintyre. . . But there was something nice about MacArthur's Head. . . But it was very dangerous, because you see there was nothing there but rocks, you see you were on the inside of the wall and if you were coming up the steps there. . . three hundred and twenty. . .

EE: Was it?

MM: . . . up and then one up, there were three [stairs] there, one going up, that was the longest one it was down there and there was one up like that and another one if you come up towards the gate. There were a lot of steps there. But yes, there was something awfully nice about it. . . You won't see it again with the houses in it. And they just threw every bit of it over the wall down to the cove.

EE: Is that what they did?

MM: Everything over the wall down to the cove. . . And there were nice things there because. . . everything was there, the tables and the chairs and everything, yes, and the beds. . . and [?] everything there. . . There was a paint store. . . where we did the washing, and there was a big place for washing and putting the fire on and a big boiler for washing. And where you put the coal, you had a place for your own coal one on either end of the house and there were toilets, a bath and a toilet but that was outside, that was outside the house. . . But MacArthur's Head. . . I think of it often. . . but it was dangerous in the summer for snakes.

EE: Oh was it?

MM: Oh yes, it was dangerous, very dangerous. It was just terrible. . . They even came out on the cement in the summer with the heat [?] there. . . Oh yes. If the houses were there, I would stay there happily, I would. They went

ann, dh'fhanainns'. Chaidh iad air folbh o sin air fad, tha e air folbh a-nis le a h-uile mìr dheth sin. Chan eil light keepers aca a-nis no stuth mar sin. . . Tha mise a' smaoin[t]eachadh, bha thu a' faotainn do phàigheadh agus . . . s[h]in agad do phàigheadh agus tha fios 'am dè bha sin, dusan not sa mhìosa.

EE: Seadh.

MN: S[h]in 'ad am pàigheadh. Dusan not sa mhìosa, bha e even nas lugha na sin ach s[h]in agad a bh' agamsa mu dheireadh, dusan not sa mhìosa.

EE: An e bhon Lighthouse Commission?

MN: 'S[h] e. Bha iad a' cur sin, uair sa mhìos a bha thu a' faotainn do phàigheadh. . . uair sa mhìosa. Bha rudeigin gasta tiomailt oirre, ò bha. Bha sinn gu toilichte aig Ceann MhacArtair ach bha e cunnartach. . . tha fhios 'ad. . . Co-dhiù bha sinne mu dheireadh cho eòlach ach s[h]in an aon rud na bu mhiosa na nathraichean san t-samhradh.

•

21. Ceann MhacArtair / MacArthur Head

away from there altogether, it's away now, all of that. They don't have light keepers or anything like that. . . I think, you got your wages and. . . that was your pay and I know what that was, twelve pounds a month.

EE: Right.

MM: That was the wages. Twelve pounds a month, it was even less than that but that's what I got in the end, twelve pounds a month.

EE: Was that from the Lighthouse Commission?

MM: Yes. They sent that, once a month you got your wages. . . once a month. There was something nice about it, oh yes. We were happy at MacArthur's Head but it was dangerous . . . you know. . . Anyway we knew it well by the end but that was the worst thing the snakes in the summer.

•

Tha peathraichean Mairead is Mòrag a' cuimhneachadh air làithean-sgoile ann am Port Sgioba. . .

MN: Mairead NicFheargais

MS: Mòrag Scott

EE: Emily Edwards

EE: Agus cà' deach sibh don sgoil? An robh sgoil ann am Port Sgioba. . . ?

MS: Bha sgoil ann am meadhan a' bhaile, aig ceann School Street.

EE: Ò, an t-seann sgoil thall bho An Creagan?

MN: 'S e. . . Agus bha ar h-athair 's ar màthair, bha iad a' dol don aon sgoil. . . chaidh iadsan ann. Oir tha an sgoil sin, bhiodh e suas ri dà cheud. . . bliadhna co-dhiù.

EE: Dè an aois a bha sibh, nuair a chaidh sibh [don sgoil]?

MN: Còig bliadhna. . . Dh'fhàg sinn aig ceithir bliadhna deug . . . mar a dh'fhàg sinn an sgoil. . . Cha robh sinne ann am Bogh Mòr. . . chionn bha againn ri obair ann an Ìle no air tìr-mòr no ag earach an dèidh ar pàrantan. Dh'fholbh mise ag obair ann an Glaschu mar a bha mi sè deug agus dh'fhan Mòrag ag earach an dèidh ar pàrantan.

EE: Nuair a bha mise an seo an turas mu dheireadh, bha thu

22. Mairead NicFhearghais agus a piuthar Mòrag Scott / Margaret Ferguson and her sister Morag Scott

Sisters Margaret and Morag remember their school days in Port Charlotte. . .

MF: Margaret Ferguson

MS: Morag Scott

EE: Emily Edwards

EE: And where did you go to school? Was there a school in Port Charlotte. . . ?

MS: There was a school in the centre of the village, at the top of School Street.

EE: Oh, the old school here along from An Creagan?

MF: Yes. . . And our father and our mother, they went to the same school. . . they went there. Because that school there, it would be up to. . . two hundred years [old] anyway.

EE: What age were you when you, when you went [to school]?

MF: Five years [old]. . . We left at fourteen. . . when we left the school. . . We didn't go to Bowmore. . . because we either had to work here on Islay or on the mainland or look after our parents. I left to work in Glasgow when I was sixteen and Morag stayed behind to look after our parents.

EE: When I was here the last time, you mentioned that. . . was

ag innse dhomh gun robh. . . am b' e ur piuthar, tha mi a' smaoineachadh, a bha a' coiseachd dhan sgoil ann am Bogh Mòr [às Port Sgioba]. . .

MS: Ò bha, Cèitidh.

MN: Bha Cèitidh, ar piuthar. . . Ar piuthar as sine, bha ise aig Bogh Mòr.

MS: Chuireadh i seachad Diluain gus Dihaoine ann am Bogh Mòr is bhiodh i a' coiseachd dhachaigh an dèidh a' sgoil Dihaoine.

MN: 'S chaidh i don Agricultural College air tìr-mòr.

EE: Bha i a' coiseachd ann, [do Bhogh Mòr]?

MN: Bha Diluain is a' tilleadh air Dihaoine. . . Nan robh an làn a-mach bhiodh i a' gabhail shortcut ann thar ceann an loch aig Beul an Atha. . . Bhiodh ar h-athair san fhoghar a' folbh a-mach le each is cairt don mhuileann ann am Beul an Atha. . . Bheireadh e lift dhaibh. . . Bha e fiadhaich fada dhaibh coiseachd.

MS: Bha iad a' fantail am Bogh Mòr feadh an t-seachdain.

MN: Bha i fhè' agus dà bhalach agus càile', bhiodh ceithir aca às Port Charlotte a' dol a sgoil ann am Bogh Mòr.

MS: Sin mar a bha e. Cha robh cars ann san àm.

•

it your sister, I think, that walked to school in Bowmore [from Port Charlotte]. . .

MS: Oh yes, Katie.

MF: Katie, our sister. . . Our oldest sister, she was in Bowmore [school].

MS: She would spend Monday to Friday in Bowmore and then walk home on Friday after school.

MF: She went to Agricultural College on the mainland.

EE: She walked there [to Bowmore]?

MF: Yes on Monday and back home on Friday. . . If the tide was out she would take a short cut across the head of the loch at Bridgend. . . Our father would go at harvest time with the horse and cart to the Bridgend Mill. . . He would give them a lift. . . It was very far for them to walk.

MS: They stayed in Bowmore through the week.

MF: It was herself and two boys and a girl, there would be four of them from Port Charlotte that went to school in Bowmore.

MS: That's how it was. There were no cars in those days.

•

Tha Donnchadh MacDhùghaill agus Flòraidh NicCathbharra às Port Ilein a' cuimhneachadh air treabhadh le eich. . .

DM: Donnchadh MacDhùghaill

FN: Flòraidh NicCathbharra

EE: Emily Edwards

DM: Uill, bha iad a' treabhadh fiar a' chiad bliadhna.

EE: Uh-huh.

DM: Uill, 's e an dòigh a bha iad a' dèanadh, tha fhios agad. . . airs[h]on cur. Uill 's ann le fidheall a bha iad a' cur agus. . . bha 'broadcast' ann cuideachd ann an mòran de dh'àiteachan. Bha an t-each agad agus folas 's rud a bha a' cur an t-sìl 's bha na h-uibhir de ghnoth. . . de mhachinery ann, ach 's e fidheall as motha a bha dualach, na gum b' e shiùdaich na seeders a tha sin. . . Cur an t-sìl, yes, 's e dìreach fidheall agus chest. . . tha fhios agad.

EE: Seadh.

DM: Bha thu a' cur. . . bha thu a' cur leis. Agus, uill 's e sin cars[h]on a bha thu a' cur a-staigh, a h-uile còig sion sgrìob bheag agus, uill, chìtheadh tu cà' robh thu a' dol leis an t-sìol, cha robh mìr caillte. . .

EE: Seadh.

23.Donnchadh MacDhùghaill a' coimhead air dealbhan aig oidhche shòisealta Seanchas Ìle / Duncan MacDougall looking at photographs at one of the Seanchas Ìle social evenings

Duncan MacDougall and Flora MacAffer from Port Ellen tell us about how they ploughed using horses. . .

DM: Duncan MacDougall

FM: Flora MacAffer

EE: Emily Edwards

DM: Well, they used to plough lea the first year.

EE: Uh-huh

DM: Well, the way they used to do it, you know. . . to plant it. Well, it was with the sowing fiddle they used to sow, and. . . there was 'broadcast' as well in many places. You had a horse and a sole plate and a thing that planted the seed and there was quite a quantity of machinery altogether, but it was the sowing fiddle that was normal for seeding, more so even than the seeders. . . Sow the seed, yes, just a sowing fiddle and the chest. . . you know.

EE: Right.

DM: You used to sow. . . you used to sow with it. And, well that's why you used to put in a wee scrape [in the ground], every fifth chain along and in that way you'd see where you were going with the seed, so that not a speck was wasted. . .

EE: Right.

FN: Cha robh. Bha thu dìreach a' dèanadh line.

DM: Uill, bha seeder gu math trom ann agus bha discs air, agus bha rud air a shon. . . bha e a' tomhas a' ghrunnd cuideachd. . . Ge b' e dè 'n dòigh, a bha e a' tomhas na dhèanadh tu. Agus 's e dà each. 'S bha iad, bha e car trom air, bha e car trom air eich ceart gu leòr, bha, tha fhios agad, bha pill chuir. . . nan robh àite cas ann. A-rithist bha broadcast ann, bha aon each ann 's bha dìreach na tuaighear rud mòr 's bha e cur imirean aig an àm. 'S bha thu sin ga chliathadh. . . Agus covereadh an t-sìl. . .

EE: Seadh.

DM: Airs[h]on sìl bha thu dìreach ag usadh aona chuid de fidheall, no seeder, no broadcast, bha fidheall, chan eil e math dhuinn sin a dhì-chuimhneachadh [*gàireachdainn*]. . . bha an fhìdheall aca airs[h]on. . . a' ghnothach. Bha mise. . . dà each a bha mise. . .

EE: Dà?

DM: Dà each. Ach bha crann dà-sgrìobaire air àiteachan cuideachd 's bha trì eich ma bha thu a' treabhadh talamh leasaichte mar a their 'Redland' ris tha fhios agad. Dhèanadh dà each feum [*gàireachdainn*], dà each a bha air.

EE: 'S cuin a stad iad a' cleachdadh eich?

DM: Uill, bha iad a' dol gus na nineteen-sixties an seo.

EE: Nineteen-sixties.

FN: Bha iad ag usadh mòran eich.

DM: Bha, bha. Mòran eich. . . Bha.

FN: Agus, bhiodh iad a' tighinn far an robh sinn. Bhiodh iad a' dol chun na plough-match is m' athair bha gan. . . dèanadh deas, agus bha athair S____ sònraichte math air treabhadh.

EE: Ò, an robh?

FN: Agus fhuair e Highland Society Medal.

DM: Ò bha, ò Dhia bha. Bha plough-matches ann. . .

FM: No. You just used to make a line.

DM: Well, the seeder used to be pretty heavy, and it had discs on it, and there was a thing on it for. . . it used to measure the ground as well. . . In whatever way, it measured what you did. And there were two horses. And it was pretty hard on horses right enough, oh aye, you know, and there was a sowing sheet. . . if there was steep ground. Again there used to be broadcast, there used to be one horse and it used to turn over a lot and make ridges at the time. And then you would harrow. . . and cover the seed. . .

EE: Right.

DM: For seed you just used either one of a sowing fiddle, or seeder, or broadcast, they had a sowing fiddle, we'd better not forget that [*laughing*]. . . They used to have the sowing fiddle for. . . the job. Me. . . I had two horses. . .

EE: Two?

DM: Two horses. But in some places they used to use a two-share plough and that took three horses if you were ploughing. . . Redland as you call it, you know. Two horses could be used [*laughing*], two horses were on it.

EE: And when did they stop using horses?

DM: Well, they were still going here until the nineteen-sixties.

EE: Nineteen-sixties.

FM: They used a lot of horses.

DM: Yes, yes. A lot of horses. . . Yes.

FM: And, they used to come down our way. They used to go to the plough-match, and my father used. . . to get them ready, and J____'s father was exceptionally good at ploughing.

EE: Oh, was he?

FM: And he won a Highland Society medal.

DM: Oh aye, oh by God aye. There used to be plough-matches. . .

EE: An robh Gàidhlig air 'ploughing-matches'. . . ?

DM: Uill, 'latha-treabhaidh' a theireadh tu nan robh thu leithid. . . nan fheadhainn na coimhearsnaich a' cuideachadh le duine. . .

FN: Bha iad a' cuideachadh le a chèile san àm sin. Agus bha iad fiadhaich gasta.

EE: Agus dè bha a' tachairt aig an latha, aig an latha-treabhaidh?

DM: Uill, bha pìos air a chur a-mach mud choinneimh, bha thu a' truiseadh, bha pionachan ann a h-uile lot. Agus bha thu a' toirt do lot a-mach às ada. [*gàireachdainn*] Agus, bha thu a sin a' cur, bha thu a' cur a-staigh an druim. Bha thu a' set na polaichean.

FN: The 'druim'. That's the beginning.

DM: 'S e, druim. Bha thu a' cur a-staigh druim, agus. . .

EE: Right.

DM: . . . Co-dhiù. . . Ò, bha na h-eich a' chiad trip, bha na h-eich agam ceart gu leòr a' chiad trip, ach an dàrna trip a bha mi ann, thug aon aca, uill, bha e car na. . . tioram air a sin, ach co-dhiù, ò dhèan mi dheth, dhèan mi dheth, fhuair mi dheth 's steall de phrizes leam co-dhiù! [*gàireachdainn*] . . . Bha thu a' cur. . . a-staigh an druim 's bha thu sin, air trip 's ann an truiseadh, truiseadh a bha thu, a' chiad dà, leithid seo de dh'iomallaichean mun cuairt, agus sin bha thu sin a' startadh air an sgoltadh ris an fheadhainn. . .

EE: Agus am biodh cèilidh ann às dèidh am match?

DM: A Dhia, bha ball ann às dèidh a' phlough-match.

FN: Ball mhòr!

DM: Ball mòr!

FN: Ò bha mise aig cuid de na balltan, a bheil fhios agad. . .

DM: Ò Dia, bha sinne a-mach aig ball trip a bha sin. . .

FN: [*gàireachdainn*]

EE: 'S dè cho tric 's a bha iad?

EE: Was there Gaelic for ploughing-matches. . .?

DM: 'Latha-treabhaidh' [lit. day of ploughing]. Well, it's latha-treabhaidh you used to call it if you were. . . one of the people, the neighbours who were helping. . .

FM: They used to help each other out at that time. And they were awfully kind.

EE: So what happened on the day, at the ploughing-matches?

DM: Well, a rig used to be set out for you, and you would gather [the land], there were pins in every lot. And you used to draw your lot out of a hat [*laughing*]. And from there you used to make the first furrow. You used to set the poles.

FM: The 'druim'. That's the beginning.

DM: The first furrow. You used to put in the first furrow, and. . .

EE: Right.

DM: . . . Anyway. . . Oh, the horses were just fine the first time, my horses were fine the first time, but the second time I was there, one of them, took, well, he was. . . meandering around, but anyhow, I did it, I did it, I got off with it and with a bunch of prizes [*laughing*]. . . You used to make the first furrow, and then you'd be tucking in coming back down, coming back down, the first two, as it were the edges round about, and then you used to start splitting the ones. . .

EE: And was there a cèilidh dance after the match?

DM: Oh Lord, there used to be a ball after the plough-match.

FM: A great ball!

DM: A great ball!

FM: Oh, I was at some of the balls, you know. . .

DM: Oh Lord, we were out at a ball once. . .

FM: [*laughing*]

EE: And how often did they used be?

DM: Uair sa bhliadhna.

EE: Aon uair, aon uair.

DM: B' àbhaist a' phlough-match a bhith mun ninth of February; a' chiad Diciadain de February b' àbhaist a' phlough-match a bhith ann. . . bha, uill, tha fhios agad, 's e càirdean as motha, tha fhios agad, bha na cronies 's na càirdean, agus. . . [*gàireachdainn*]. . . co-dhiù.

FN: Och aidh, bha daoine. . . gasta.

DM: Bha. Bha.

•

Agus Lena McKeurtan a' cuimhneachadh cleachdadh dualchasach eile. . .

LM: Lena McKeurtan

EE: Emily Edwards

LM: Bha sinn a' cumail na craiceann choineanan agus gan tiormachadh. Agus bhiodh na [ceàrdaich]. . . bhiodh iadsan a' ceannachd na craiceann choineanan bhuainn.

EE: Ò right.

LM: Gheobhadh tu sgillinn, chan eil fhios 'am. . . dà no trì sgillinn no sè sgillinn airs[h]on a h-uile craiceann. Sin agad cà' faigh thu, s[h]in agad an cony fur a gheobh thu. . . ma gheobh thu còta, fur coat, cony skin, 's e coineanan a tha sin.

EE: Ò seadh.

LM: Ach ioma' uair. . . bha thu gan cur air seann doras no rudeigin agus gan tàirngeachadh agus gan tarraing a-mach agus gan tàirngeachadh is bha thu a' sin a' cur alm air taobh a-staigh den chraiceann agus bha sin a' tiormachadh a' chraicinn agus bha thu a' sin a' toirt, ma bha e mìr reamhar. . . a' glanadh air taobh a-staigh den chraiceann

DM: Once a year.

EE: Once, once.

DM: The plough-match used to be around the ninth of February; the first Wednesday of February is when the plough-match used to take place. . . Aye, well, you know, it was relatives and friends mostly, you know, there were the cronies and the relatives. . . [*laughing*] . . .anyway.

FM: Och aye, the people were. . . so kind.

DM: Yes. Yes.

•

And Lena McKeurtan recalls another traditional practice. . .

LM: Lena McKeurtan

EE: Emily Edwards

LM: We kept the rabbit skins and dried them. And the travelling people. . . they would buy the rabbit skins from us.

EE: Oh right.

LM: You would get a penny, I don't know. . . two or three pence or sixpence for all the skins. That's where you get, that's the cony fur that you get. . . if you get a coat, a fur coat, cony skin, that's rabbit.

EE: Oh right.

LM: But quite often. . . you put them on an old door or something and nailed them and pulled them out and nailed them and then you put alum on the inside of the skin and that dried the skin and then you took, if it was at all fat. . . cleaned the inside of the skin and you left that like good skin, similar to Shammy leather. . . We used to do that

agus tha thu air sin air fhàgail mar chraiceann gasta cosail ri Shammy leather. . . B' àbhaist dhuinne sin a dhèanadh sinn fhèin. Cha robh sinn uair sam bith a' dèanadh aodaichean airs[h]on gan cost. Bha sinn dìreach gan dèanadh airs[h]on ma dh'fhaoidte, gan cur air creathaill no fuireann no rudeigin mar sin no leabaidh den cait no rudeigin! [*gàireachdainn*]. Ach bha alm daonnan againn airs[h]on na craiceann, ma gheobhadh tu craiceann fiadh bha thu a' cur a' chraicinn ga thàirngeachadh air doras is ga spionadh a-mach às ceart air an doras a' sin agus a' cur an alm seo air, bha e tiormachadh agus bha thu a' sin ga sgrìobadh gus am faigheadh tu far an robh e car cosail ri Shammy.

EE: Chan fhaigh thu sin an-diugh ceart gu leòr.

LM: . . . Chan fhaigh thu sin an-diugh. . . Gheobh thu còta fur a cheannach. . . ann an Glaschu is cha leig thu leas bodraigeadh sin a dhèanamh. . .

•

ourselves. We never made clothes for wearing. We just made them for maybe, putting them on a cradle or furniture or something like that or a bed for the cat! [*laughing*] But we always had alum for the skins, if you got deer skin you nailed the skin to a door and plucked out of it, upright on the door there and put this alum on it, it dried and you scraped it until you got it where it was similar to Shammy.

EE: You won't get that today right enough.

LM: You won't get that today. . . You will get a fur coat to buy . . . in Glasgow and you don't need to bother doing that. . .

•

24. Ionad Chaluim Chille Ìle agus Gart-meadhon bhon chladach / The Columba Centre Islay and Gartmain from the shore

Rugadh is thogadh Iain Stiùbhart ann an Creagan na Peighinne agus tha cuimhne aige gu math air na h-atharrachaidhean a thàinig don àite thar na bliadhnaichean...

IS: Iain Stiùbhart

EE: Emily Edwards

EE: An innis thu dhomh càit an do rugadh tu is càit an do thogadh tu?

IS: Uill, rugadh mise ann an Creagan na Peighinne, tha sin àite eadar Bogh Mòr is Beul an Atha. 'S e ceàrdaich a bha sinn, bha m' athair na ghobha agus chaidh mi. . . rugadh mi ann an sin agus chaidh mi a thogail ann an sin.

EE: Creagan na Peighinne, càit a bheil sin?

IS: S[h]in e, eadar Bogh Mòr is Beul an Atha, dìreach leth rathad eadar Bogh Mòr is Beul an Atha. 'S e sin far a bheil e. . . Uill, thàinig mi a dh'fhantail ann am Bogh Mòr, uill, an dèidh a' chogadh thàinig mi a dh'fhantail no mar sin. . .

EE: Is cà' deach sibh dhan sgoil?

IS: Ò chaidh mi do sgoil Bogh Mòr. . .

EE: Is an robh mòran anns an sgoil aig an àm sin?

IS: Bha mòran san sgoil san àm sin, bha mòran, sgoil Bogh Mòr 's e àite a bh' ann a bha a' gabhail mòran a-staigh bha iad a'

25. Iain Stiùbhairt aig an taigh ann am Bogh Mòr /
John Stewart at home in Bowmore

John Stewart was born and brought up at Penny Craig where he remembers very well the changes that have come to the area over the years. . .

JS: John Stewart

EE: Emily Edwards

EE: Will you tell me about where you were born and brought up?

JS: Well, I was born in Penny Craig, that's between Bowmore and Bridgend. We were smiths, my father was a blacksmith and I was. . . I was born there and I was brought up there.

EE: Penny Craig, where is that?

JS: That's it, between Bowmore and Bridgend, just half way between Bowmore and Bridgend. That's where it is. . . Well, I came to live in Bowmore, well, after the war I came to live or about then. . .

EE: And where did you go to school?

JS: Oh I went to Bowmore school. . .

EE: And were there many in the school at that time?

JS: There were a lot in the school at that time, there were a lot, Bowmore school was a place that took many [pupils] in

tighinn ann mu chuairt gach meadhain is gach gort is mu chuairt leth-rathad Beul an Atha – Beul an Atha cuideachd, bha iad a' gabhail a-staigh a h-uile mìr dheth sin.

EE: Seadh uh-huh, is cia mheud tidsearan a bh' ann aig an sgoil?

IS: Ò uill dìreach, chan urrainn dhomh 'g ràdh [??] idir dè na bh' ann ach bha glè àireamh de thidsears ann.

EE: 'S e. So cha d' fhuair thu Gàidhlig anns an sgoil?

IS: Uill, 's e Gàidhlig a bh' agams' airson siùdach leis agus mar a chaidh mi don sgoil 's e ag ionnsachadh Beurla a bh' ann.

EE: 'S e.

IS: Ach bha mòran ann, bha Beurla aca mar a chaidh iad don sgoil agus 's e sin mar a bha e anns an àm sin. 'S e Gàidhlig a chaidh mi thogail leis agus bha, a-nis, tha Gàidhlig aca airs[h]on a' siùdaich leis ma thogras iad a ghabhail anns a' bhunsgoil ann am Bogh Mòr, ma thogras iad a' dol air aghaidh leis a' sin. . . Bha mòran obraichean a' dol air aghaidh anns an àite anns an àm sin. Bha tàillearan ann, is dress-makers, is stilladairean, is feadhainn a' greusadh bhrògan, is bùidsearan is bèicearan, is hardware stores, na dairies, photographers, bha goibhnean ann, chemists, car hirers agus na hotels. 'S e àite trang a bh' ann, 's e, 's e anns an àm sin ach a-nis tha h-uile stuth air atharrachadh bhon àm sin. Bha mòran siopannan ann agus a-nis chan eil againn ach an Co [Co-operative] agus tha iad air an stocadh gu math agus tha sin a' dèanadh feum mòr san àite. . . Ach an àm mar a bha na siopannan beag ann, bha bhanaichean aca a bha gan cur mun chuairt an dùthaich a' creic na gnothaichean a bh' aca.

EE: Seadh.

IS: Aig amannan bha fheadhainn ann a bhiodh a' gabhail uighean airs[h]on pàigheadh airs[h]on na groceries a bha iad a' faotainn. Cosail ris am barter system.

EE: Seadh.

IS: Bha iadsan a' toirt na h-uighean air ais don siop is gan creic a-rithist, 's e sin a dòigh a bha rudan a' dol san àm sin.

and they were coming from every corner and every field around, and around Bridgend by-road – Bridgend too, they were taking in from all parts of that.

EE: Aye uh-huh, and how many teachers were in the school?

JS: Oh well, I couldn't say [??] at all what was there but there was a good number of teachers.

EE: Yes. So you didn't get Gaelic at school?

JS: Well, I had Gaelic to start with and when I went to school I had to learn English.

EE: Yes.

JS: But there were many, they had English when they went to school and that's how it was at the time. I was raised with Gaelic and now they have Gaelic to start with if they choose to take it at the primary school in Bowmore, if they choose to take it on. . . There was a lot of work going on in this place at that time. There were tailors, dress-makers, distillery workers, and ones repairing shoes, and butchers and bakers and hardware stores, the dairies, photographers, there were blacksmiths, chemists, car hirers and the hotels. It was a busy place, yes, at that time but now everything has changed since then. There were lots of shops and now we only have the Co [Co-operative], and they are well stocked and that does a lot of good in the place. . . But in the time when there were small shops, they had vans that were sent around the countryside selling their things.

EE: Right.

JS: Sometimes, there were some who would take eggs to pay for the groceries that they got. Like the barter system.

EE: Right.

JS: They brought the eggs back to the shop and sold them again, that's the way things went at the time.

EE: Seadh.

IS: Agus. . . an-diugh tha a h-uile stuth a' tighinn a-staigh le containers thar a' roll-on roll-off ferries a tha sin agus tha sin a' dèanadh cuideachadh mòr, 's e rud math a bha sin airs[h]on siùdaich. Chan eil làimhseachadh sas bith air na groceries no rud sas bith a tha sibh a' gabhail, 's e fhad 's a tha sibh ga fhaotainn dìreach an dòigh a dh'fhàg e Glaschu no àite den t-seòrsa sin.

EE: Agus thuirt thu gun robh na bàtan a' tighinn a-staigh dhan Loch an Dala?

IS: Ò bha, bha na bàtan a' tighinn a-staigh le. . . uill anns an àm sin bha iad a' tighinn a-staigh don loch, bhiodh iad a' calladh aig Bruach a' Chladaich, bha store aca ann am Bruach a' Chladaich is bhiodh mòran stuff air a chur ann, stuff a bhiodh dol thairis taobh na Roinn is mu chuairt thar an eilein is an taobh seo den eilean. Agus thigeadh a' bhàta don acar[s]aid a bha seo agus. . . le 'lighter' a bh' ann, a theireadh iad ris. Thigeadh e a-mach agus bha e a' toirt na gnothaichean a-staigh do Bhogh Mòr. Bha làraidh aca a bheireadh e. . . an stuff seo mun chuairt do na siopannan anns an àm sin, ò bha, yes.

EE: An robh Gàidhlig aig a' mhòr-chuid de dhaoine aig an àm sin nuair a bha thu fhèin òg?

IS: Bha Gàidhlig aig a' chuid as motha, bha Gàidhlig aig a' chuid as motha ach cosail ris a h-uile stuth eile, 's e Beurla a bhiodh iad ag ionnsachadh agus bha mòran choigrich a' tighinn a-staigh agus dh'fheumadh tu a bhith bruidhinn Beurla riuth[ch]a anns an àm sin. Chaidh a' Ghàidhlig a-sìos gu mòr anns na, air ais anns na thirties, toiseach na thirties. 'S ann bha mòran a' tighinn a-staigh bha mòran. . . eadar Bogh Mòr is Beul an Atha, 's e àite gu math Gallda a shiùdaich a bhith ann airson bha mòran golfers an sin a-staigh agus luchd-turais agus, uill ma their iad ris aig a' [?], bha iad a' tighinn sgrìoban is bha paidhir Glaschu ann agus paidhir Phàislig ann is an rud a' dol fad an t-samhraidh. Agus bha golf course shuas aig Gartmain agus bha mòran dhaoine a' truiseadh ann, agus bhiodh iad às Beul an Atha agus às Bogh Mòr agus mu chuairt far am

EE: Right.

JS: And today everything comes in in containers off those roll-on roll-off ferries and that helps a lot, that was a good thing for [island] life. There is no handling of the groceries or anything that you take, you get it just the way it left Glasgow or a place like that.

EE: And you said that the boats came into Lochindaal?

JS: Oh yes, yes the boats came in with. . . well at that time they came in to the loch, they would call into Bruichladdich, they had a store in Bruichladdich and lots of stuff would be brought there, stuff that would go all over the Rhinns and throughout the island and to this side of the island. And the boat would come to this harbour and. . . with a 'lighter' as it was called. It would come out and it took the messages into Bowmore. They had a lorry that would take it. . . this stuff around to the shops at that time, oh yes, yes.

EE: Did most people speak Gaelic at that time when you were young?

JS: Most people spoke Gaelic, most people spoke Gaelic but like everything else they would learn English and many strangers were coming in and you had to speak English to them at that time. The Gaelic decreased a lot in the, back in the thirties, the start of the thirties. There were many coming in. . . between Bowmore and Bridgend, it started to be quite a Lowland place because lots of golfers were coming in and tourists and well, as they call it [?], they were coming on trips and there was a pair from Glasgow and a pair from Paisley and the thing was going all summer. And there was a golf course up at Gartmain and many people gathered there, and they would be from Bowmore and Bridgend and around where they would be staying. . . throughout the entire place, they would be gathering at the golf course and going around there, it was

biodh iad a' fantail. . . thar an àite air fad, bhiodh iad a' truiseadh aig a' golf course agus a' dol mu chuairt a' sin, 's e àite mun tuirt iad ris, bha e gu math popular!

EE: 'S e, 's e is cò às a bha iad a' tighinn?. . .

IS: Thar an àite air fad, thar an dùthaich air fad agus feadhainn aca a' tighinn a-nìos à Sasainn cuideachd. Bha mòran a' tighinn ann san àm sin. Bha. Agus b' àbhaist dhomh a bhith a' dol mu chuairt, san àm seo bha m' athair ag earach as dèidh a' golf course agus aig an àm sin bhithinns' nam bhalach òg a' dol mun chuairt agus a' faicinn gun robh na greenaichean glan sa mhaidinn 'son bhiodh na caoraich a' laighe orra agus bhiodh iad gan salachadh gu doirbh! [*gàireachdainn*] Agus bha a'am ri a' dol mun chuairt le shovel agus sweep mòr airs[h]on an clearadh airs[h]on gum biodh iad fit, mun tuirt iad ris, airs[h]on na daoine a' tighinn mu chuairt. Bhithinn am bitheantas gan coinneachadh air an rathad mu chuairt is bha mòran daoine òg ann.

EE: Dè an aois a bha thu nuair a bha thu a' dèanamh sin, an obair sin?

IS: Uill, ò cha robh mi ach gu math òg, bha mi deich is dusan uill, dusan bliadhna no mar sin bha mi a' dol mu chuairt. . . Bha agus. . . bhithinn gan coinneachadh air uairean, bhithinn a' dol mun chuairt a' leigeil fhaicinn de dh'fheadhainn aca an cùrsa mun chuairt airs[h]on golf, dè an dòigh a dh'fheumadh iad am ball, bha markers ann ach ma dh'fhaoidte gum feumadh iad cumail ri aon taobh dheth no aon taobh eile airs[h]on gum biodh iad ceart airs[h]on an green agus. . .

EE: An robh sibh fhèin a' cluich golf?

IS: Dhèanainn beagan. . . bha beagan air a dhèanadh, bhithinn ag obair air puttadh is rudan mar sin ach cha deach mi riamh a-staigh airs[h]on rud sas bith den t-seòrsa sin.

EE: Agus dè an obair a bh' agadsa as dèidh an sgoil?

IS: An dèidh an sgoil, uill, chaidh mi a' saoir[s]inneachd, bha mi ag obair air saoir[s]inneachd agus chum mi air a' sin agus tha mi dìreach a' cumail mo làimh a-staigh fhathast a'

as they would say, quite a popular place!

EE: Yes. . . and where would they come from?. . .

JS: All over the place, all over the country and some of them came up from England as well. Many came at that time. Yes. And I used to go around, at the time my father looked after the golf course and at that time I would be a young boy going around and seeing that the greens were clean in the morning because the sheep would lie on them and they would dirty them terribly! [*laughing*] And I had to go around with a shovel and big sweep to clear them so they would be fit as they said, for the people coming around. Usually I would be meeting them about the road and there were a lot of young people there.

EE: What age were you when you were doing that, that work?

JS: Well I was only quite young, about ten or twelve, well twelve years old or about that. I was going around. . . Yes and. . . I would meet them sometimes, I would be going around showing some of them around the course for golf, what way they had to hit the ball, there were markers but maybe they had to keep to one or other side of it so that they would be right for the green and. . .

EE: Did you ever play golf yourself?

JS: I would do a little. . . a little was done, I would work on putting and things like that but I never went in for anything of that sort.

EE: And what job did you have after leaving school?

JS: After school, well, I went into joinery, I worked at joinery and I kept at that and I'm still keeping my hand in doing jobs. I was working, there were many houses that were

dèanadh jobs. Bha mi ag obair, bha mòran thaighean air a thogail an seo thar na bliadhnaichean is bha mi aig mòran de na taighean sin.

EE: Ann am Bogh Mòr?

IS: Ann am Bogh Mòr is Port Ilein is Port na h-Abhainne. . .

EE: Ò air feadh an eilein.

IS: . . . is Port Charlotte, bha mi thar an àite air fad. Bha mi ag obair, na fir a bha a' tighinn a-staigh a' togail thaighean, bha mi ag obair leoth[ch]a. Agus uill, dhèan mi sin, mun tuirt iad 'I did a turn!'

EE: So bha thu a' fantail ann an Ìle a' mhòr-chuid de ur beatha?

IS: Ò bha bha, bha mi a' fantail an seo bha, bha taigh agam shuas anns a' bhaile, shuas aig Flora Street mun tuirt iad ris. Bha mi a' fantail an sin. Uill, ri àm a' chogadh phòs mi, ach am boireannach a phòs mi, 's e Beurla a bh' aice agus uill chaill. . . a' chlann, chaill iadsan a' Ghàidhlig. . . a rèir sin cha robh Gàidhlig air a bruidhinn san taigh. Cha robh mi a' bruidhinn Gàidhlig o chionn còrr is trì fichead bliadhna.

EE: Uill tha e agad fhathast!

IS: Tha mi a' feuchainn. Chaidh mi shuas do Ionad Chaluim Chille seo dìreach a' faighinn a phiuchadh suas a-rithist ach airs[h]on a bhith bruidhinn Gàidhlig ri daoine a' dèanadh dheth a thogail a-rithist. Thar na bliadhnaichean chailleadh tu mòran fhacal, mur nach eile thu ga cleachdadh a bhith a' bruidhinn, ach tha a h-uile stuth a-nis mun tuirt iad cho Anglified. 'S e sin an dòigh a th' ann.

•

built here throughout the years and I was at many of those houses.

EE: In Bowmore?

JS: In Bowmore and Port Ellen and Portnahaven. . .

EE: Oh all over the island.

JS: . . . and Port Charlotte, I was [working] all over the place. I was working, the men that were coming in to build houses, I was working with them. And, well, I did that, as they say, 'I did a turn'!

EE: So you've lived on Islay most of your life?

JS: Oh yes, yes I was living here, I had a house up in the town, up at Flora Street as they call it. I lived there. Well, at the time of the war I got married, but the woman I married, it was English that she had and well, the children lost the Gaelic. . . because of this Gaelic wasn't spoken in the house. I haven't spoken Gaelic for more than sixty years.

EE: Well you've still got it!

JS: I'm trying. I went up to the Columba Centre here just to get to pick it up again, to speak Gaelic to people again and to pick it up again. Over the years you lose a lot of words, if you don't use it to speak, but everything now as they say is so Anglified. That's the way of it.

•

26. Gealagan-làir anns a' choille aig Beul an Atha / Snowdrops in the woods at Bridgend

Tha Nancy Stevenson a' cuimhneachadh air Beul an Atha on a bha i òg. . .

Rugadh mi fhèin o chionn còrr is ceithir fichead bliadhna air baile fearainn air sgìreachd Cill an Rubha. 'S e Gàidhlig a' chiad cànain a bh' agam. An uair a bha [mi air an] aois airson ionnsachadh fhaotainn thòisich mi ann an sgoil Newton. Bhitheadh mise agus mo phiuthar, a lean mi, agus clann a' choimhearsnachd a' coiseachd moch 's anmoch, no. . . nam bitheadh an aimsir fliuch no garbh bheireadh m' athair sinn don sgoil anns a' bhogie agus pony a bh' aige. Thogadh an sgoil mu ochd ceud deug agus trì fichead agus a dhà-dheug. 'S e sin an t-àm a chaidh achd ionnsachaidh a stèidheachadh. 'S e togalach le dà sheòmar a bha ann le maighistir-sgoil agus bean-teagasg. An toiseach bha a' chlann anns an sgoil gu ceithir-deug bliadhna ach ann an naoi ceud deug trì-deug thar fhichead, thòisich busachan toirt a' chlann a chaidh ro ceasnachadh sgrìobhte agus a dhèan gu math anns. . . na ceistean gu sgoil Bhogh Mòr. Bha na busachan a' togail clann às na sgoiltean beaga a bha taobh an rathad mhòr, às a' Chill agus às Port na h-Abhainne gu Bogh Mòr agus às Port Ilein cuideachd. Ro[imh] seo, clann a bha ag iarraidh barrachd foghlaim aig sgoil Bhogh Mòr bha aca ri còmhnaidh ann an taigh ann am Bogh Mòr fad na seachdain agus dol dhachaigh le bicycle no bus air an Dihaoine gu madainn Dhiluain. Bha mi fhèin fortanach gun robh na busachan a' ruith an uair dhomh a

27. Nancy Stevenson aig oidhche shòisealta Seanchas Ìle /
Nancy Stevenson at one of the Seanchas Ìle social evenings

Nancy Stevenson remembers Bridgend from when she was young. . .

I was born more than eighty years ago on a crofting village in the parish of Kilarrow. Gaelic was my first language. As soon as I was of the age to start learning I started at Newton school. Myself and my sister that followed me, along with other children in the community would walk early and late or. . . if the weather was wet or wild, my father would take us to school in the bogie and his pony. The school was built around eighteen seventy two. That was the time the learning act was established. It was a building with two rooms with a schoolmaster and a female teacher. At first, the children were in the school until they were fourteen but in nineteen thirty three, buses started to take the children that did the written exam, and that did well in. . . the questions, to Bowmore school. The buses collected children from the small schools that were beside the main road, from Keills and from Portnahaven to Bowmore and from Port Ellen as well. Before this, the children that wanted more education from Bowmore school, they had to stay in a house in Bowmore though the week and go home by bicycle or by bus on the Friday until Monday morning. I was fortunate that the buses were running by the time I had to go to Bowmore. Newton school closed in two thousand and two. There is no school there now.

bhith dol do Bhogh Mòr. Chaidh sgoil Newton a dhùnadh ann an dà mhìle agus dà bhliadhna. Tha an sgoil falbh bho sin a-nis.

Mar a bha mise is mo phiuthar aig sgoil Newton. . . nam chuimhne bha sia no seachd-deug sgoiltean beaga ann an Ìle. Chan eil ann an-diugh ach ceithir. Bho chionn fada bha cèilidhean agus dannsachan air a chumail anns an sgoil Newton gus an do thog Oighreachd Mhaighsteir Mhoireasdain, às an Taigh Bàn, an togalach aig a' Cowgate dlùth air Beul an Àtha airson gum bitheadh àite aig na balaich òga airson ionnsachadh faotainn aig àm cogaidh. B' e seo an Territorial Army Hall. Bha an talla seo air a thogail àm a' chiad cogadh ach bha e air a leagail o chionn beagan bhliadhnachan. Bha eaglais agus taigh ministeir faisg air Skerrols. B' e Eaglais na h-Alba a bha ann. B' e ministear Maighstir MacFhionghain [a bh' ann]. Nuair a dh'fhalbh an duine seo chaidh an taigh aige a reic mu naoi ceud deug agus deich air fhichead. Bha an eaglais air a cumail fosgailte leis an aon mhinistear a' gleidheil seirbheis aig Skerrols agus anns an Eaglais Chruinn am Bogh Mòr. Bha esan a' fantail ann am Bogh Mòr. Bha banais ann an eaglais Skerrols ann an naoi ceud deug 's trì fichead 's a dhà-dheug bliadhna. 'S e Maighstir Murrie a bha na mhinistear. Bha banais eile ann an dèidh sin ach goirid an dèidh sin a-rithist, chaidh an eaglais a reic agus tha i a-nis an-diugh na taigh còmhnaidh.

'S e tuathanach a bha nam athair 's tha mi glè eòlach air mar a bha gnothaichean ron dàrna cogadh. Bha bà againn is bhitheadh iad air am bleoghann. Dh'ionnsaich mi air bleoghann air Màiri. . . Bha i sean agus. . . sèimheach. Bha a' bhleoghann air a dèanadh le làimh. Cha robh inneal bleoghainn cumanta aig an àm ud. Bhitheadh mo mhàthair a' dèanadh ìm daonnan, agus càise nuair a bhiodh bainne pailte. Bha pàirt den ìm agus càise air a chur gu siop (no 'bùth' mar a their iad) ann am Port Charlotte airson reic. Bhitheadh na laoigh a' cinntinn nan gamhna airson an reic. Bha caoraich againn agus uain againn agus bhitheadh na h-uain air an cur gu margadh. . . an uair a bhiodh iad reamhar. Bhitheadh sìol agus buntàta agus turnipan air an cur gach bliadhna. Bha feur air a ghearradh san t-samhradh agus ga chruinneachadh mar a bha e tioram. Bu toigh leam. . . àm buain a' choirce agus mar a bha iad a' tighinn gus na sguaban mu dheireadh bhitheadh sinn a' ruith as dèidh a' Chailleach Bhuain.

When myself and my sister were at Newton. . . to my memory there were sixteen or seventeen small schools on Islay. There are only four today. Long ago there were ceilidhs and dances in Newton School until Mister Morrison's estate, from Islay House, built the building at the Cowgate near Bridgend so that there would be a place for the young lads to learn at the time of the war. This was the Territorial Army Hall. This hall was built at the time of the first world war but it was knocked down a few years ago. There was a church and a manse near Skerrols. It was Church of Scotland. Mister MacKinnon was the minister there. When this man left his house was sold around nineteen thirty. The church remained open with the same minister doing the service at Skerrols and the Round Church in Bowmore. He lived in Bowmore. There was a wedding in Skerrols church in nineteen seventy two. Mr Murrie was the minister. There was another wedding after that but a wee while after that again, the church was sold and it is now a house.

My father was a farmer and I know very well how things were before the second world war. We had cows and they would be milked. I learned to milk on Màiri. . . She was old and. . . quiet. The milking was done by hand. Milking machines were not common at that time. My mother always made butter, and cheese when there was plenty of milk. Some of the milk and cheese was sent to a shop. . . in Port Charlotte to sell. The calves would be reared to stirk for selling. We had sheep and lambs and the lambs would be put to market. . . when they were fat. Seed and potatoes and turnips would be planted every year. The hay was cut in the summer and collected when it was dry. I liked. . . the time of harvesting the oats and when they were coming to the last sheaves, we would run after the 'Cailleach Bhuain' [lit. the old woman of harvest, meaning the last sheaf].

Bha cearcan, tunnagan, geòidh, cearcan Frangach,. . . cait, coin, mucan, eich agus pony ann. Cha robh na cearcan Frangach ann ach mu dhà bhliadhna oir bha iad draghail an togail mar a bha iad beag. Bha trì eich obair ann Lily, Magaidh agus Bess. Bha treabhadair a' treabhadh fad seachdain anns an àm sin ach a-nis bhitheadh uiread air a dhèanadh ann an treis dà latha. Cha robh tractor againn. Cha robh iad air mòran fearainn ro thoiseach an dàrna cogadh. Bha searbhanta ann airson obair taighe agus bleoghann. Bha ceithir fir ag obair an fhearann ach an-diugh nì aon neach a h-uile rud le a h-uile seòrsa inneal.

Cha robh mòran charbadan no cars ann an Ìle mar a bha mi òg. Bhitheadh mo phàrantan, 's mo phiuthar is mi fhèin a' dol air cuairt do Phort Charlotte anns a' bhogie agus am pony 'Punch' air uair. Cha thachaireadh mòran. . . carbadan oirnn. Cha bhitheadh ann ach dhà no trì, agus a' tilleadh dhachaigh chìtheadh sinn bicycle no dhà le solas aca. An solas a bh' air a' bhogie b' e rud coltach ri bogsa le gloinne air trì taobhan agus iarann geal air an taobh dleth ris a' bhogie. Bha. . . aon bhogsa air gach taobh agus bha iad laste le coinneil.

'S e bhanaichean a bha dol mun cuairt na fearainn. . . agus air an dùthaich a' reic biadh agus gnothaichean eile a bha feumail aig an àm. Bha mo mhàthair a' reic uighean ris a' bhan an uair a bha iad pailte. Bha feòil caora agus muc cho mhath ri coinneanan agus air uair pheasant. Bha gàrradh mòr ann 's bha lusan, cabbage, leekachan, currain, turnipan, buntàta tràth a' cinntinn. Bha flùran bòidheach ann cuideachd. Bha an t-aodach air a cheannach bho fear a' tighinn gus an doras no a' cur fios air aodach às na catalogan.

B' àbhaist ceàrdan a bhith fuireach anns a' choille bheag aig Carnainneadh anns na tentaichean. Bhitheadh iad a' tighinn chun an doras againn a' reic gnothaichean a bhitheadh iad a' dèanamh ach mar phàigheadh 's e min-choirce no tì, no siùcar, no bainne a bha dhìth orra. Bhitheadh deasachadh air a dhèanadh air greideal thar an teine dà no trì uairean san t-seachdain. Cha robh obair bean idir crìochnaichte oir sin mar a bha e ag amharc. Ach thigeadh aca air dol a chèilidh agus daoine a bhith tighinn a chur seachad feasgar còmhla riutha.

Thigeadh am post leis na litrichean a h-uile latha ged nach

There were hens, ducks, geese, turkeys,. . . cats, dogs, pigs, horses and a pony. The turkeys were only there about two years because they were difficult to raise when they were young. There were three working horses Lily, Maggie and Bess. There was a ploughman ploughing all week at that time but now the same amount will be done in two days. We didn't have a tractor. They weren't on many farms before the start of the second world war. There was a maid for housework and milking. There were four men working the land but today one person will do everything with every sort of machine.

There weren't many vehicles or cars on Islay when I was young. My parents, my sister and myself would go on a trip to Port Charlotte in the bogie and 'Punch' the pony sometimes. We wouldn't meet many. . . vehicles. There would only be two or three, and returning home we would see a bicycle or two by their lights. The light that was on the bogie it was a thing like a box with glass on three sides and white iron on the side close to the bogie. There was. . . one box on every side and they were lit with a candle.

It was vans that went around the farms. . . and the countryside selling food and other things that were handy at the time. My mother sold eggs to the van when they were plentiful. Mutton and ham were as common as rabbit and sometimes pheasant. There was a big garden and plants, cabbage, leeks, carrots, turnips and early potatoes grew. There were beautiful flowers as well. The clothes were bought from a man who came to the door or by sending for clothes from the catalogues.

Travelling folk used to stay in the wee forest at Carnainncadh in the tents. They would come to our door selling things that they would make but as payment it was oatmeal or tea, or sugar, or milk that they wanted. Baking would be done on a girdle over the fire two or three times a week. A woman's work was never finished for that's how it looked. But they would be able to visit and people would come to spend an evening with them.

The postman would come with the letters every day even if

bitheadh ann ach am pàipear naidheachd. Bha e tarsainn an sgìreachd às Beul an Atha air bicycle a h-uile latha den bhliadhna ach Didòmhnaich.

Bha muileann-mine ann faisg air an Taigh Bàn. Bha am muilear a' dèanadh min-choirce às an t-sìol a bha na tuathanaich a' toirt dha. Chaidh am muileann sin a dhùnadh a sìos dà fhichead no leth cheud bliadhna bhon. . . a sguir na tuathanaich a bhith cur sìol a' choirce. Bha muileann-sàbhaidh ann aig an Taigh Bhàn ach tha sin air falbh cuideachd.

Tha muileann-cardaidh ann san sgìreachd seo o chionn linn naoi ceud deug. Bha a' chiad teaghlach a bha ann glè ainmeil airson na plangaidean aca tro Ìle agus an àiteachan nas fada air falbh. Tha an togalach seo air taobh an abhainn Sorn a tha a' ruith a-mach. . . don fhairge aig Beul an Atha. 'S e an t-uisge anns an abhainn a bha a' cumail an roth dol mun cuairt airson na h-innealan obrachadh a dhèanadh na h-aodaichean. Dh'fhàg an teaghlach seo àm a' chogaidh mu dheireadh, ach thàinig teaghlach eile do dh'Ìle o chionn mu dheich air fhichead bliadhna no barrachd. 'S e electricity a tha a' cumail na h-innealan ag obair. Feumaidh tu ràdh gu bheil an seann mhuileann-cardaidh ag obrachadh fhathast.

Bha taigh-saorsainneachd anns an sgìre cho. . . seo far an robh cairtean agus rothan air an dèanamh ach thàinig crìoch air a' cheàird seo gu buileach àm a' chogaidh mu dheireadh, coltach ri mòran chùisean eile. Chaidh an taigh-saoir sin a dhùnadh ann an naoi ceud deug agus ceithir fichead agus seachd bliadhna.

Bha an Drochaid Thioram na togalach follaiseach aig Beul an Atha. Chan eil fhios agam. . . cuin a. . . deach i air a cur suas. Dhèan mi beagan rannsachadh ach cha deach i leam. Tha an rathad a' tighinn tro a' choille gu dìomhair, bho taigh-geata gus an drochaid seo. An dèidh dol thairis an drochaid bha beagan rathad gus an Taigh Bhàn. 'S e rathad airson na daoine-uasal bhon taigh mhòr a bha seo. Mu naoi ceud deug 's trì fichead thòisich Western Ferries toirt carbadan mòr agus àrd a dh'Ìle. 'S e seo a chaidh an drochaid a thogail nas àirde ann an naoi ceud deug tri fichead 's naoi. Cha do dhèan sin feum. Chaidh an drochaid a' leagail gu làr ann an naoi ceud deug, ceithir fichead agus aon-deug.

there would only be the newspaper. He covered the area from Bridgend by bicycle every day of the year except Sunday.

There was a meal-mill near Islay House. The miller made oatmeal from the oats the farmers gave to him. That mill was closed down forty or fifty years from. . . when the farmers stopped planting the oat seed. There was a saw-mill at Islay House as well but that's away now too.

There is a carding-mill in this area from the nineteenth century. The first family that was there was very famous for their blankets throughout Islay and in places further afield. This building here beside the river Sorn that runs out to. . . the sea at Bridgend. It was the water in the river that kept the wheel going around to work the machines to make the cloth. The family left here at the time of the last war, but another family came to Islay about thirty years ago or about that. It's electricity that keeps the machines working. You have to say that the old carding-mill is still working.

There was a joiner's workshop in this area so. . . this is where carts and wheels were made but an end came to this trade entirely at the time of the last war, like many other things. That joiner's workshop closed in nineteen eighty seven.

The Dry Bridge was a prominent structure at Bridgend. I don't know. . . when. . . it was put up. I did a bit of research but I had no luck. The private road comes through the forest, from a gatehouse to this bridge. After going over the bridge there was a small bit of road to Islay House. This was a road for the gentlefolk from Islay House. Around nineteen sixty Western Ferries started to take large and high vehicles to Islay. This was when the bridge was built higher in nineteen sixty nine. That wasn't too much use. The bridge was completely demolished in nineteen ninety one.

Tha an taigh mòr, an Taigh Bàn agus an oighreachd ann an làmhan an aon teaghlach bho chionn beagan linntean ach chaidh an Taigh Bàn a reic ri duine coigreach anns an linn mu dheireadh.

Bha banc' ann am Beul an Atha mar a bha mi a' cinntinn agus mar a bha mi aig aois obair, ach dhùin iad an obair bhanca is dh'fhosgail iad àite ùr am Bogh Mòr. Tha bùth, no mar a their. . . sinn, siop agus Post Office far an robh iad riamh. 'S e siop mòr a tha ann agus tha a h-uile seòrsa gnothaichean ann, biadh, pàipearan-naidheachd, gnothaichean reòite, rudan airson cur no cladhach ann an gàrradh is mòran eile. Tha an taigh-òsta mar a bha e o chionn ùine mhòr.

Aon rud ùr a tha am Beul an Atha, taigh airson do ghruag a ghearradh no a sgeadachadh. Bithidh fir a' dol ann cho mhath ri mnathan.

B' e lampaichean le ùilleadh a bha an seo gus an tàinig electricity do dh'Ìle ann an naoi ceud deug 's a leth-cheud. Bho sin thàinig atharrachadh mòr air a h-uile ni ann an Ìle air fad.

Bha mi fhèin ceangailte ri aon deagh atharrachadh a thachair. . . o chionn faisg air trì fichead bliadhna. Nuair a bha mi anns an sgoil. . . bha sinn a' toirt leinn pìos arain le rudeigin air, airson itheadh uair meadhan-là. Ann an naoi ceud deug agus fichead 's a h-ochd thòisich sgoil Newton, coltach ri sgoiltean eile, air dìnnearan fhaotainn bho sgoil Bhogh Mòr. Anns a' chiad dol-a-mach bha a' chiad sgoilear anns an teaghlach a' pàigheadh còig sgillinn, an dàrna ceithir sgillinn agus an treas agus an còrr den teaghlach a bha gabhail biadh trì sgillinn gach latha. Ri mo linn bha mòran atharrachaidhean ann le seòrsachan biadhannan. Chan eil smaointinn agam dè tha iad a' pàigheadh san latha an-diugh. •

28. An Drochaid Tioram a bha air a leagail ann an 1991 /
The Dry Bridge which was demolished in 1991

The big house, Islay House and the estate, have been in the hands of the same family for a few generations but Islay House was sold to someone else in the last century.

There was a bank in Bridgend when I was growing up and when I was at the age to work, but they stopped the bank work and they opened a new place in Bowmore. There is a shop. . . and a Post Office where they always were. It's a big shop and there are all sorts of things in it, food, newspapers, frozen goods, things for planting or digging in the garden and much more. The hotel is the same as it has been for a long time.

One new thing that is in Bridgend, a place for getting your hair cut or styled. Men go there as well as women.

It was lamps with oil that we had until electricity came to Islay in nineteen fifty. Since then there have been many big changes throughout Islay.

I was connected to one good change that happened. . . almost sixty years ago. When I was in school. . . we brought with us a piece of bread with something on it for eating at midday. In nineteen twenty eight Newton school started, like other schools, to get dinners from Bowmore school. In the first instance the first pupil in the family paid five pence, the second four pence and the third and the rest of the family got dinner for three pence every day. In my time there have been many changes with types of food. I have no idea what they pay today.

•

29. Feusgain air a' chladach aig Gart na Traghad /
Mussels on the shore at Gartnatra

4.
Leigheas Traidiseanta agus Biadh / Traditional Medicine and Food Ways

Tha Lena ag innse dhuinn na diofar seòrsaichean bìdhe a bha cumanta nuair a bha i òg agus carson a bha iad math dhut. . .

LM: Lena McKeurtan

EE: Emily Edwards

EE: Bha sibh ag ràdh rium nach robh sibh ach ceithir fichead 's a h-ochd! Tha sin math, feumaidh sibh innse dhomh dè bha sibh ag ithe agus a' dèanamh airson an aois sin fhaotainn?

LM: Bha iasg, feòil muice, feòil chaorach, feòil mhairt, sitheann, eunlaith de a h-uile seòrsa. Ged a bha sin ri fhaotainn cha robh sinn mòr-itheantach ann. Bha sinn ag itheadh na dhèanadh feum dhuinn.

EE: An robh sibh a-riamh ag ithe sgarbh?

LM: Ò sgarbh! B' àbhaist dhuinn itheadh mòran sgairbh agus lachan. Bha na Leòdhasaich ag itheadh gugachan ach chan eil gugachan ann an Ìle. 'S docha gu bheil na Leòdhasaich ag itheadh sgarbh cuideachd. Tha a' sgarbh glè bhlasta. Tha mòran a' smaoineachadh gu bheil blas èisg dhiubh ach chan eil. Chan eil sinne gan còcaireachd an dòigh a tha na Leòdhasaich leis na gugachan. Tha sinne a' toirt a' chraicinn dhiubh. Chan eil sinn gan spioladh. Tha mi a' smaoineachadh gun e uilleadh anns a' chraiceann a tha a' cur a' bhlas nach toil leam thar na gugachan. Tha sinn a'

30. Lena McKeurtan ann a gàrradh aig Ruadhphort / Lena McKeurtan in her garden at Ruadhphort

Lena tells us of the different types of food that were common when she was young and why they were good for you. . .

LM: Lena McKeurtan

EE: Emily Edwards

EE: You were saying that you are only eighty eight years old! That's great, you'll have to tell me about what you ate and what you did to get to that age?

LM: There was fish, pork, mutton, beef, venison and fowl of every sort. Although that was available, we weren't big eaters at all. We ate what we needed.

EE: Did you ever eat cormorant?

LM: Oh cormorant! We used to eat a lot of cormorant and eider duck. The Lewis folk ate gugachan but there aren't gugachan on Islay. Perhaps the Lewis folk eat cormorant as well. The cormorant is very tasty. Lots of people think that there is the taste of fish from them but there isn't. We don't cook them in the same way that the Lewis folk cook the gugachan. We take the skin off them. We don't pluck them. I think it's the oil in the skin that makes the taste that I don't like in the gugachan. We make a stew with the cormorant. We put turnip, onions and carrots in it. You

dèanadh stiùbh den sgarbh. Tha sinn a' cur snèip, uinnean agus currain ann. Chan fhaigh thu nas fheàrr na sin le buntàta. Nì e soup buntàta tha glè bhlasta.

EE: Tha sibh a' cur an t-acras orm! Dè eile a bha sibh ag ithe?

LM: Bha feòil muice, sin 'pork'. Bha muc cha mhòr aig a h-uile taigh. Bhitheadh sinne a' sailleadh pàirt den mhuc. Bhitheadh salainn, saltpetre agus spices, chan eil cuimhne agam dè tuilleadh a bha a' dol air a' mhuc. Bhitheadh sinn ga rolladh suas na roilean agus ga crochadh suas air mullach an taighe. Faic an rud a tha air mullach an taigh.

EE: Dè th' ann?

LM: An rud sin [*dubhan air a' mhullach*] sin far an robh iad a' crochadh a' ham.

EE: Ò right, an e?

LM: 'S e, bha dhà dhiubh an sin ach an uair a bha mullach ùr a' dol air an t-seòmar dh'fhàg sinn an dubhan airson cuimhneachadh carson a bha e agus tha e ag innse dhutsa is do leithid carson a bha sin ann – airson roilean ham.

EE: Ò 's e, sin far an robh e.

LM: Bhiodh tu a' dol a ghabhail do bhreakfast agus bha roilean ham a' tighinn a-nuas. Cha robh thu a' gearradh ach na bha a dhìth ort – aon shliseag no dhà shliseag agus an sin bha a' roilean a' dol air ais suas, bha e an sin gus an ath mhadainn.

EE: Seadh, agus dè cho fada air ais a bha sin? Cuin a bha sibh a' dèanamh sin? Cuin a' stad sibh a' dèanamh sin?

LM: Och, uill.

EE: An robh e fada air ais?

LM: Uill, tha e fada air ais dhutsa ach tha mi ochd agus ceithir fichead agus tha ùine on a bha muc againn. Mu leth cheud bliadhna no barrachd na sin. Cha robh òirleach den mhuc a' dol a mhuthadh. Bhiodh mo sheanmhair a' dèanadh maragan dubh leis an fhuil agus bhiodh i a' glanadh na caolain agus bha i an sin a' dèanadh isbeanan. Agus an t-aotroman, bha sinne, a' chlann òg a' faotainn an

don't get better than that with potatoes. It makes a very tasty potato soup.

EE: You're making me hungry! What else did you used to eat?

LM: There was pork. There was a pig at almost every house. We would salt part of the pig. There would be salt, saltpetre and spices, I can't remember what else went on the pig. We would roll it up into a roll and hang it on the ceiling of the house. See the thing that's on the ceiling of the house.

EE: What is it?

LM: That thing [*a hook on the ceiling*] there that's where they hung the ham.

EE: Oh right, is it?

LM: Yes, there were two of them there but when the new ceiling was going on the room we left the hook for remembering why it was there and it tells you and the likes why it was there – for the roll of ham.

EE: Oh yes, that's where it was.

LM: You would go to get your breakfast and a roll of ham came down. You only sliced what you needed – one slice or two slices and then the roll went back up, it was there until the next morning.

EE: Right, and how long ago was that? When did you do that? When did you stop doing that?

LM: Och, well.

EE: Was it a long time ago?

LM: Well it was long ago for you but I'm eighty eight and it's a while since we had a pig. About fifty years or more than that. There wasn't an inch of the pig went to waste. My grandmother would make black pudding with the blood and she would clean the innards and she made sausages. And the bladder, we, the young children, got the bladder. . . It was cleaned and blown up and we had a ball.

t-aotroma'. . . Bha e air a glanadh agus air a shèideadh suas agus bha ball againn.

EE: Airson ball-coise?

LM: Ball-coise! Nuair a bha mise òg, nam chaileag bheag cha robh ach balaich a' cluich ball-coise. Bhiodh na caileagan a' figheadh agus a' fuaigheil agus a' croiseidh.

EE: A bheil cuimhne agaibh nuair a bha sinn a' bruidhinn dà sheachdain air ais bha thu a' bruidhinn air seòrsa de tì?. . .

LM: Ò, bha sin airson sgàinnteach agus rudan eile. Bha sinn a' truiseadh 'bog bean', luibh nan trì beann. Tha an duilleag na trì pìosachan, tha flùran gasta pinc agus geal ach chan e na flùranan a tha thu a' usneachadh, 's e a' chas no an stem. Chan eil an stem rèidh, tha e eagach. Tha sin air a ghlanadh agus air a sgrìobadh agus air a bhruich air a shocair airson am brìgh fhaotainn às, mu uair a thìde. Bha e sin deas a chur ann am botal agus car-uair cur peppermint no rudeigin mar sin ann airson blas nas fhèarr fhaotainn dheth. Tha cuimhne agam air dà chìobair a b' àbhaist tadhail oirnn airson deoch bheag luibh na trì bheann. Bha iad a' smaoin[t]eachadh gu robh e dèanadh math dhaibh, ruig iadsan còir is ceithir fichead bliadhna.

EE: Ò an do ruig? Tha sin inntinneach. A-nis, ciamar a tha sibh a' dèanamh brot le maoraich?

LM: Tha thu a' toirt maorach thar na creagan. 'Maorach' tha sinne ag ràdh ann an Ìle airson 'limpets'. Feumaidh e a bhith beò. Glan a' maorach le uisge fuar agus cuir e ann am poite. Sgall e le uisge goileach. An dèidh dhà no trì mionaidean tha a' maorach a' fàgail nan sligean. An sin tha thu a' falach na poit', a' gearradh a' maoraich na chriomagan beaga beaga, ga chur air ais don phoit agus ga bhruich gus am bi e deas ann an uisge blasta. 'Stock' a bhios sinne ag ràdh. A-nis tha liquidisers againn agus cha ghabh e ach tiota, ùine glè ghoirid na gearradh sìos. Cuir sùgh de gach seòrsa as toil leat air agus rud beag min-choirce na fhàgail tiugh. Tha ball beag dubh air mullach a' mhaorach agus nuair a phrannas tu e tha e buidhe. Tha seo math air aran. Nì e pate math.

EE: Uh-huh.

EE: For football?

LM: Football! When I was young, a wee girl, it was only the boys who played football. The girls would knit and sew and crochet.

EE: Do you remember when we were talking two weeks ago you were talking about a type of tea?. . .

LM: Oh that, that was for rheumatism and other things. We gathered bog bean. . . The leaf is in three pieces, there are nice pink and white flowers but it's not the flowers that you use, it's the stem. The stem isn't flat it's got notches [on it]. It's cleaned and scraped and boiled gently to get the sap out, about an hour. Then it was ready to put in a bottle and sometimes peppermint or something like that to get a better taste from it. I remember two shepherds that used to visit us for a wee drink of bog bean. They thought it was doing them good, they reached more that eighty years.

EE: Oh did they? That's interesting. Now, how do you make the limpet soup?

LM: You take the limpets from the rocks. 'Maorach' that we say on Islay for limpets. It has to be alive. Clean the limpet with cold water and put it in a pot. Scald it with boiling water. After two or three minutes the limpets leave the shells. Then you empty the pot, cutting the limpets in tiny wee bits, and put them back to the pot and boil it until it's ready in tasty water. 'Stock' we call it. Now we have liquidisers and it only takes second, a very short time cutting it up. Put any sort of liquid on it that you like and a bit of oatmeal to leave it thick. There is a wee black ball on the top of the limpet and when you mash it it's yellow. This is good on bread. It makes good pate.

EE: Uh-huh.

31. Luibh-nan-trì-bheann a thèid a chleachdadh mar leigheas do sgàinnteach / Bog bean which is used as a remedy for rheumatism

LM: Bha sinn ag itheadh duileasg, bha sinn ga itheadh amh. Bha sinn daonnan a' truiseadh cairgein san t-samhradh. Tha e a' cinntinn am measg an fheamainn air na creagan. Bha sinn ga glanadh ann an uisge fuar agus ga chur ri tiormachadh air brèid a-mach anns a' ghrian. Tha a' ghrian ga fhàgail soilleir. Fàsaidh e geal. Feumaidh e a bhith tioram agus brisg. 'S còir a chumail tioram daonnan. Tha e soirbh a bhruich. Cuir cròglach de chairgein ann am pinnt bhainne agus bruich e air do shocair gus am fàs e tiugh. Thoir an aire nach loisg e ri bonn na poite. Cha ghabh e ach ùine glè ghoirid. 'S còir dha a bhith cosail ri custard tiugh. Tha thu cur na tha anns a' phoit troimh shiolachan agus tha e deas. Cuir beagan siùcar ann ma 's toil leat e milis.

EE: Feuchaidh mi sin airson mo dhìnnear a-nochd! [*gàireachdainn*]

LM: Tha sinn ga itheadh fhathast agus ma tha cuideigin nach eil gu math, euslainteach, tha cuideigin daonnan a' tairgsinn cairgein ma tha e idir aca. 'S e biadh math a tha anns a' chairgein, cha dèan e cron sam bith. •

32. Maoraich (no bàirnich) air a' chladach aig Gart na Traghad. B' àbhaist brot mhaorach a bhith gu math cumanta ann an Ìle / Limpets on the shore at Gartnatra. Limpet soup was at one time very common on Islay

LM: We ate dulse, we ate it raw. We always collected carragheen in the summer. It grows amongst the seaweed on the rocks. We cleaned it in cold water and put it to dry on a cloth napkin out in the sun. The sun leaves it bright. It becomes white. It has to be dry and brittle. It should always be kept dry. It's easy to boil. Put a handful of carragheen in a pint of milk and boil it gently until it becomes thick. Be careful not to burn it to the bottom of the pot. It only takes a very short time. It should be like thick custard. You put what is in the pot through a strainer and it's ready. Put a little sugar in it if you like it sweet.

EE: I'll try that for my dinner tonight! [*laughing*]

LM: We still eat it and if there is someone who's not well, a patient, someone always offers them carragheen if they have it at all. It's good food the carragheen, it doesn't do any harm.

•

Agus airson foinnean. . .

BW: Betsy West

EE: Emily Edwards

BW: Bha iad fiadhaich math air medicines de a h-uile seòrsa, bha dròbh rudan aca. Airs[h]on foinne[ach]an a-nis, b' e dandelions. Am bainne geal a chì thu leotha, tha thu a' cur sin air a h-uile latha. . .

EE: Seadh.

BW: . . . agus tha e air folbh. Tha sin ceart.

EE: A bheil sin, a bheil e ag obair?

BW: Tha, tha. •

And for warts. . .

BW: Betsy West

EE: Emily Edwards

BW: They were very good at medicines of every kind, they had lots of things. For warts now, it was dandelions. The white milk that you see with them, you put that on every day. . .

EE: Yes.

BW: . . . and it goes away. That's right.

EE: Does that, does it work?

BW: Yes, yes.

•

33. Beàrnain-bhrìde le Beanntan Dhiùra ris an cùl /
Dandelions with the Paps of Jura in the distance

34, Betsy West aig an taigh ann am Bun Othan /
Betsy West at home in Port Wemyss

35. Còinnteach a bha air a truiseadh ann an Ìle agus air a cleachdadh mar bhanntan aig àm an dàrna cogaidh /
Sphagnum Moss was gathered on Islay and used as bandages during World War II

Aig àm a' chogaidh mu dheireadh, bhiodh mnathan ann an Ìle a' truiseadh còinnteach a bhith air a cleachdadh mar bhanntan.

LM: Lena McKeurtan

EE: Emily Edwards

LM: Bha sinn a' truiseadh còinnteach, sphagnum moss, 's e am fear as fhèarr chionn tha e còsach agus bog. Cumaidh e mòran uisge. Bha bean an uachdarain ann an Dunlossit gar cuideachadh, bha i ag obair don Red Cross. Thug i dhuinn aon de na bothain mhòr aice le bùird fhada. Air na bùird bha sheetichean cotan geal air an deagh nigheadh. Bha sinn a' cur còinnteach air na sheetichean. Bha sinn a' truiseadh a' chòinnteach ann am monadh Kynagarry, tha sin mu cheithir mìle bho Baile a' Ghràna. Bha sinn a' cur a' chòinnteach fhliuch ann am basgaidean is bagaichean is ga thoirt do Dunlossit. Bha sinn ga sgaoileadh a-mach air na bùird airson a thiormachadh agus airson feur no rud sam bith eile ach còinnteach a thoirt às. Bhiodh sinn a' dol air ais a h-uile latha ga thiondachadh gus am biodh e tioram agus a' dèanadh cinnteach nach robh rud sam bith cruaidh no stobach na mheasg.

EE: Seadh, tha mi a' tuigsinn agus dè an ath rud?

LM: Nuair a bha a' chòinnteach bog agus tioram bha sinn a' faotainn bagaichean beaga cotan de a h-uile meudachd agus gan lìonadh leis a' chòinnteach. Bha cuideigin eile a' fuaigheal nam bagaichean. Dh'fheumadh sinn a bhith glan, ur aodach, brògan a h-uile rud, dh'fheumadh sinn ur làmhan a ghlanadh gu math tric. Gu fortanach cha robh na mnathan a' gabhail cigarette!

EE: Chuala mi gun robh a' chòinnteach ag obair glè mhath.

LM: Bha na bagaichean, bha sinn a' cluinntinn, air an cur air lotanan a bha gu math fuilteach. Bha iad freagarrach chionn 's gun robh e cho còsach.

EE: Is cia mheud a bha ga dhèanamh?

LM: Bhiodh dh'fhaoidte, deichnear mnathan. Duine sam bith a bha deònach cuideachadh, rachadh iad ann. Bha sinn a' dèanadh seo an-asgaidh. •

At the time of the last war, women on Islay would gather sphagnum moss to be used as bandages.

LM: Lena McKeurtan

EE: Emily Edwards

LM: We'd gather moss, sphagnum moss, that's the best one because it's porous and soft. It holds a lot of water. The landowner's wife in Dunlossit helped us, she worked for the Red Cross. She gave us one of her big bothies with long tables. On the tables there were white cotton sheets that were well washed. We put moss on the sheets. We gathered the moss on the Kynagarry moor, that's about four miles from Ballygrant. We put wet moss in baskets and bags and took it to Dunlossit. We spread it out on the tables to dry it and to take out grass or anything else that wasn't moss. We would go back every day to turn it until it was dry and to make sure that there was nothing hard or prickly amongst it.

EE: Right, I see, and what was the next thing?

LM: When the moss was soft and dry we got wee cotton bags of every size and filled them with the moss. Someone else was sewing the bags. We had to be clean, our clothes, shoes everything, we had to clean our hands very often. Fortunately the women didn't smoke!

EE: I heard that the moss worked very well.

LM: The bags were, we heard, put on wounds that were quite bloody. They worked because they were so porous.

EE: And how many were doing it?

LM: There would be maybe ten women. Anyone who was willing to help would go there. We did this voluntarily. •

Tha Seumas MacPhàrlain ag innse dhuinn mu chuid leigheas air a bheil cuimhne aige mu chuairt sgìre Port Ilein. . .

SM: Seumas MacPhàrlain

HN: Heather Nic an Deòir

HN: Agus an robh duine sas bith, an robh thusa eòlach air duine sas bith a bha ag itheadh na feamainn mar seòrsa bìdh?

SM: Ò bha, dh'ith sinne mòran feamainn, gu h-àraid am bàrr-dearg, na carrachagan, slat-mhara fhios 'ad, na feadhainn garbh. . . Pataich bheag mar a bha iad a' gearradh na fiaclan theireadh iad. . . carrachag a chagnadh. . . 's e ceilp a bhiodh iad a thoirt dhiubh a chuideachadh na fiaclan a ghearradh. Agus na muirlinn, bha iadsan milis.

HN: Dè th' anns na muirlinn?

SM: Muirlinn, ò tha duilleag ann agus bha e dìreach cho math, bha thu ag itheadh, bha thu a' tarraing an duilleag thar an dà

36. Feamainn air an tràigh aig Cill Eathain / Seaweed on the beach at Killeyan

James MacFarlane tells of some remedies that he remembers around Port Ellen. . .

JM: James MacFarlane

HD: Heather Dewar

HD: Did anybody, did you know anybody that ate seaweed as a sort of food?

JM: Oh yes, we ate a lot of seaweed, especially the red sea weeds, the kelp, you know, the rough ones. . . Young children, when they were teething they would say. . . to chew kelp. . . They gave them kelp to help them teethe. And the birses, they were sweet.

HD: What are the birses?

JM: Birses, oh there's a leaf and it was just so good, you ate it, you pulled the leaf off the two sides and you were left with

thaobh bha thu air fhàgail leis a' chrioman milis, a' stoc. Agus feadhainn eile sgeanagan.

HN: Agus an robh thu dìreach gan itheadh amh mar s[h]in? Dìreach mar a bha iad?

SM: 'S e, 's e. Agus duilisg, bha gu leòr de duilisg. . . Bha carrachag agus muirlinn agus sgeanagan agus tha h-aon no dhà eile ann cuideachd. Mar a bha an slat mhara tioram, rinn iad cuip leis, airson na h-eich. Ach an duilisg gheobhadh tu am bitheanta e mar a bha thu a' togail nan cliabh, bhiodh an duilisg a' tighinn a-nìos leis. Bha daonnan duileasg aig na bodaich aig ceann an tobhta is daonnan gan cagnadh. Bha e a' dèanadh atharrachadh bhon tobàc'! [*gàireachdainn*] Bha an tobàc' a' dèanadh a h-uile rud, nam faigheadh iad gearradh, 's e smug tobàca, tha fhios 'ad.

HN: 'S e chionn tha gearradh a tha thu a' faotainn gu sònraichte le giomaich agus crùbain tha e car goirt ort, tha thu a' mothchainn gu bheil puinnsean ann.

SM: Agus dubhain. . .

HN: Agus dubhain, 's e.

SM: . . . 's e, bha iad a' gearradh an dubhan a-mach leis a' sgian tobàc', daonnan crioman tobàca no smug tobàca bha sin ga leigheas. Bha leigheas mòr ann an tobàca bha iad ag ràdh.

HN: Feumaidh gun robh. . .

SM: Agus dè seòrsa rud eile? Obair an fhigheadair, 's e 'figheadair' a theireadh sinne ri damhan-allaidh ach bha sin math airson a' stad an fhuil cuideachd.

HN: Ò tha. Tha cuimhne 'am air mo phiuthar-chèile, bha ise fiadhaich fiosrach tioram air eich agus mar a bha ise a-mach a' sealg leis na h-eich, ma ghearradh each a bha domhainn agus mòran fuil a' tighinn bha thu dìreach a' dol a-staigh don stàball agus a' gabhail làn dòrn agus ga chur air a' ghearradh agus bha sin. . . Tha rudeigin anns an lìon, tha clotting agent ann. •

the sweet bits, the stem. And the others were the thin slices.

HD: And did you just eat them raw like that? Just as they were?

JM: Yes, yes. And dulse, there was a lot of dulse. . . There was kelp and birse and the thin slices and one or two others as well. When the kelp dried out, they made a whip with it, for the horses. But the dulse you normally got it when you were lifting the creels, dulse came up with it. The old men always had dulse at the end of their thwart and always chewing it. It made a change from the tobacco! [*laughing*] The tobacco did everything, if they got a cut, it was a spit of tobacco, you know.

HD: Yes because if you get a cut especially from lobsters and crabs it's quite sore on you, you feel like there is poison in it. . .

JM: And hooks. . .

HD: And hooks, yes.

JM: . . . yes, they cut the hook out with a tobacco knife, always a wee bit of tobacco or a spit of tobacco, that healed it. There was a lot of healing in tobacco they said.

HD: There must have been.

JM: And what sort of other things? Cobwebs, it's 'figheadair' [lit. a weaver] that we call a spider but that was also good for stopping blood.

HD: Oh yes. I remember my sister-in-law she was very knowledgeable about horses and when she was out hunting with the horses, if a horse got a deep cut and a lot of blood flowing you just went into the stable and took a handful [of cobwebs] and put it on the cut and that was. . . There is something in the web, there is a clotting agent. •

37. Lus-na-gineil-goraiche faisg air abhainn Sorn / Bluebells by the river Sorn

5. Seanfhaclan / Proverbs

Chaidh na seanfhaclan seo a chruinneachadh ann an Ìle le Gille Brìghde Mac a' Chlèirich le mòran taing don teaghlach airson cead am foillseachadh. Tha na seanfhaclan seo air an clò-bhualadh leis an litreachadh a bha anns na làmh-sgrìobhainn tùsail./

The following proverbs were collected on Islay by Gilbert Clark with many thanks to the family for permission to publish them. It should also be noted that the proverbs are printed here using the spellings of the original manuscript.

Seanfhaclan às Ìle / Proverbs connected with Islay

1.
Aghaidh gach bradan a-mach 's gun gin idir a-stigh
['S e seo na thuirt Calum Cille ri duine a bha ag iasgach ann an Allt Saligo bhon a dh' iarr e a' chiad bradan aige. Rug an duine air dhà ach dh' fhalaich e iad, a' tairgse losgann nan àite. Cha deach bradan a ghlacadh san allt on àm sin.]

Henceforth let there be no salmon in this brook
[Said by Calum Cille (Columba) to a man fishing in Saligo Burn whom he had asked for his first salmon. The man caught two but hid them, offering instead a frog which he'd caught. No salmon has since been caught in this burn.]

2.
Àirde 'n Lagain, Cròach creagach, Corr-airigh nam boinneach beaga
Caona-garaidh mòr a' mhagaidh, 's Torran mìn a' chadail fhada

Heights of Laggan, rocky Croach, Corrary of the wee pools,
Great Kynagarry, and gentle Torran of the long sleep

3.

Cha bhi an àrd no ìosal nach sanntaich sùil an Ìlich
Cha bhi an cùil no cuilidh nach iarr sùil a' Mhuilich
Na dh'fhàgas am Muileach, goididh an Collach
Is mairg a dh'earbas a chuid ris a' chealgair Bharrach
Ach bheir an Tirisdeach rudhadh-gruaidhe air muinntir Iutharna

There is nothing high or low which is not coveted by an Islay man's eye
There is nothing in a corner or a store which is not sought by a Mull man's eye
A Coll man will steal what a Mull man leaves behind
Pity the poor person who entrusts his goods to a deceitful Barra man
But the Tiree man will give a red face to the inhabitants of Hell

4.

Cnuic is uillt is Ailpeanaich, ach cuin a thàinig Artaraich

Hills, streams and MacAlpines are contemporaries, but when did the MacArthurs come

5.

Galar a' mhairt a bha am Port Asgaig – am fuachd 's an t-acras còmhla

The disease which affected the cow in Port Askaig – cold and hunger together

38. An t-allt aig Saligo / The burn at Saligo

6.
Is miosa an latha an-diugh na an latha a chrochadh na clèirich
[A' cuimhneachadh air an latha doineannach a bha na clèirich air
an crochadh aig Cnoc Chlèireach faisg air Baile Ghrànna.]

This day is worse than the day on which the clerics were hanged
[Remembering the stormy day when the clerics were hanged at
Knocklearach near Ballygrant.]

7.
Muileach is Ìleach is deamhan
An triùir as miosa air an domhain
'S miosa am Muileach na 'n t-Ìleach
'S miosa an t-Ìleach na 'n deamhan

A Mull man, an Islay man and a devil
The three worst in creation
The Mull man is worse than the Islay man
The Islay man is worse than the devil

8.
Nam b' eileanach mi gu'm b' Ìleach mi; 's nam b' Ìleach mi bu
Rannach mi is na bu Rannach mi, bithinn à Oilisteadh

Were I an islander, I should be an Islay man, and were I an Islay man I should be a Rhinns man and were I a Rhinns man, I should be from Olista

39. Carraighean aig Cnoc Chlèireach / Standing Stones at Knocklearoch

9.
Nuair a thrèigeas na dùthchasaich Ìle, beannachd le sìth na h-Alba

When the natives forsake Islay, farewell to the peace of Scotland

10.
Seachd bliadhna roimh' n bhràth
thig muir thar Eirinn rè aon thràth
'S thar Ìle ghuirm ghlais
Ach snàmhaidh Ì Cholum Chille

Seven years before the end of the world
the sea at one tide will come over Ireland
and over green Islay
but the island of Columba will swim

11.
Tha cailleach an Cille Chiarain 's chan fhaca i riamh an fhairge

There is an old woman at Kilchiaran who never saw the sea

12.
Tha am breac a' roinn Ìle
[Tha allt a' ruith tron fhearann aig Staoisha gu Port an Eilein agus Loch an Dàla, agus tha allt eile a' ruith bho Loch Staoisha do Chaol Ila.]

The trout divides Islay
[*A burn runs through the farm lands of Staoisha to Loch Finlaggan and Lochindaal, and another rivulet flows from Loch Staoisha into the Sound of Islay.*]

40. Seann Eaglais aig Cill Chiarain/ The Old Church at Kilchiaran

**Seanfhaclan air an cruinneachadh ann an Ìle/
Proverbs Collected on Islay**

13.
A Thì a thug dhomh na trì Màirt
Cum rium mo chàil 's mo chnuasachd

*O Thou who hast given me all three Tuesdays
Preserve my appetite and my supply*

14.
A' bhò as miosa a tha sa bhuaile 's i as àirde geum

The worst cow in the fold gives the loudest low

15.
A' cheud ghloinne do fhear an tighe, an ath ghloinne don aoidh

The first glass for the host, the second for the guest

16.
A' chontraigh na reòdhadh 's an reothart na stoirm

May the neap tide be frosty and the spring tide stormy

41. Tarbh Gàidhealach aig Taigh Fhraoich / Highland Bull at Heather House

17.
A' chuthag 's an riabhag
[Cleachdte mu dheidhinn dhaoine neo-chudromach a fhritheileas na daoine àrda.]

The cuckoo and its attendant bird
[Used of insignificant people who dance attendance on the great.]

18.
A' tabhunn leis a' mhadadh 's a' meadhail leis na caoraich

Barking with the dog and bleating with the sheep
[Running with the hare and hunting with the hounds.]

19.
Am fear a bheir an t-iasad, caillidh e a charaid is iasad

The person who lends loses his friend and his loan

20.
Am fear a bhios carrach sa bhaile so, bithidh e carrach sa bhaile ud thall

He that is mangy in the town will be mangy everywhere

21.
Am fear a bhios gun mhodh, saoilidh e gur modh a mì-mhodh

The man without manners, thinks ill-manners polite

22.
Am fear a chaill a nàire 's a mhodh, chaill e na bh' aige

The person who lost his modesty and his manners lost all he had

23.
Am fear a chaomhnas a dhinnear, tha brath aige air a shuipear

The person who saves his dinner knows where to get his supper

24.
Am fear a tha falamh 's e gun ni, gur fada shìos thèid fhàgail

The person who possesses nothing will be low on the list

25.
Am fear a thig gun iarraidh, suidhidh e gun riarachadh

The person who comes uninvited will sit without being served

26.
Am fear d' am freagair an currac, caitheadh se e

Whoever fits the cap can wear it

27.
Am fear nach cuir sa Mhàrt, is anmoch a bhuaineas e

The person who does not sow in March will reap late

28.
Àm na curachd, cola-deug roimh Bhealltainn is cola-deug na dhèidh

The time to sow is a fortnight before May Day and a fortnight after it

29.
An aon ghoil air an dà chudaig

Two whitings, boiled in the same way
[*Six and half a dozen.*]

30.
An ceò a dh'fhàgas an seann solus, 's e sneachd no gaoth a sgapas e

The mist left by the old moon is dispersed by either snow or wind

31.
An cron a bhios san aodann, chan fheudar a chleith

The blemish in the face, cannot be hid

32.
An cunnart a tha na dèidh, is farmad e

The danger which is behind us is a matter for envy

33.
An dà sgòd air an aon tobhta
[Abairt eileanach. Air bàta bu chòir greimiche fa leth a bhith aig a h-uile sgòd.]

Both sheets fastened to the one thwart
[*An island phrase. In a boat every sheet ought to have its own cleat.*]

34.
An dèidh maduinn ghruamaich thig latha grianach

A sunny day follows a gloomy morning

35.
An ni nach binn le duine, cha chluinn duine

What a man doesn't like, he doesn't hear

36.
An ni nach toigh leat, earb ri fear eile e

What you don't like, entrust to another

37.
An rud a bhios an dàn, bithidh e do-sheachanta

What is fated will be unavoidable

38.
An rud a bhios a-stigh, is dual gun tig e a-mach

What is inside naturally comes out

39.
An rud a chì sùil fharmadach, miannaichidh cridhe farmadach

What an envious eye sees, an envious heart craves

40.
An rud a tha pàighte, cha chuir e dragh tuilleadh oirnn

What is paid for will not trouble us anymore

41.
An sìol a chuireas sinn ri latha na h-oige, buainidh sinn ri latha na h-aoi

The seed we sow in youth, we will reap in old age

42.
An t-aon nach teagaisgear ris a' ghlùn, cha fhoghlumar ris an uilinn

The child that is not taught at the knee can not be taught at the elbow

43.
An tàillear nach snaim, caillidh e a ghrèim

The tailor who does not knot his thread will lose his stitch

42. Tuinn aig Cill Chomain / Waves at Kilchoman

44.
An uair a dh'èireas tu, seall gun èirich am feur as do dhèidh

When you get up, see that the grass rises after you

45.
An urrainn duine teine a ghabhail na bhroilleach agus gun aodach a bhi air a losgadh

Can a man make a fire in his bosom and his clothes not be burnt

46.
Aon eun aig a' chorr' is e gu doitheamh, doirbh, dà eun dheug aig an dreòlan is iad gu soitheamh, soirbh

The heron has one chick and it is crass and churlish, the wren has twelve and they are docile and good tempered

47.
Beiridh bean mac, ach 's e Dia nì oighire

A woman may bear a son, but God alone can make an heir

48.
Bheir an cuan a chuid fhèin a-mach

The sea will claim its own

49.
Biodh do bheul mar bheul an fheusgain [i.e. dùinte.]

Let your mouth be like the mouth of the mussel [i.e. shut.]

50.
Buail am balach air a charbad
Is buail am balgair air an t-sròin

Strike the flunkey on the jaw
and the dog on the nose

51.
Car mun aon rud, mar bha Pàdruig 's a' bhò

Much the same, like Patrick and the cow

52.
Ceilidh seirc aineimh

Charity conceals faults

53.
Ceò na seana ghealaich, thig cur is cathadh as a dhèidh

Mist during the waning of the moon will be followed by snowfall and snowdrift

54.
Ceum coise coilich air an latha, Latha Nollaige

On Christmas Day the day is longer by a cock's stride

55.
Cha bheachdaich sùil a h-àite

An eye cannot perceive (or discern) her place

56.
Cha dèan làmh na leisge beairteas

The hand of sloth maketh not rich

57.
Cha do dhiùlt uaigh riamh, cruaidh 's gum biodh an reodhadh

A grave never refused, however hard the frost

58.
Cha mhair a' choinneal as an dà cheann

The candle will not last when lit at both ends

59.
Cha robh meadhail mhòr riamh gun dubh-bhròn na deidh

There was never an extravagant burst of joy without afflicting news in its train

60.
Chan eil bunachar eile agam

I have nothing else to depend on

61.
Chan eil cleith air an olc ach gun a dhèanadh

The best way to conceal evil is not to commit it

62.
Chan eil fhios dè 'n claidheamh a bhios san truaill gus an tairnear e

It is not known what sword is in the scabbard till it is drawn

63.
Chan fhacas clobha math riamh ann an tigh a' ghobha

A good pair of tongs was never seen in the blacksmith's house

64.
Chan fhalaich muir no tìr an eucoir

Neither sea nor land will hide injustice

65.
Chan fhidir an sathach an seang, 's mairg a bhiodh na thràill don bhroinn

The satiated will not sympathise with the starving, woe to him who is a slave to his belly

66.
Cinnidh mac o mhì-altrum ach cha chinn e on aog

A son may escape from bad nursing but cannot escape the grave

67.
Dèan san Òban a rèir an Òbain

When in Oban, do as the Oban people do

68.
Dimàirt a threabh mi
Dimàirt a chuir mi
Dimàirt a bhuain mi

I ploughed on a Tuesday
I sowed on a Tuesday
I reaped on a Tuesday

69.
Dleasaidh airgead a chunntadh dà uair

Money deserves to be counted twice

70.
Dleasaidh airm urram

Arms procure respect

71.
Doimh, mar bhios màthair fhir an tighe an rathad na cloinne

Clumsy, as the husband's mother is in the way of the children

72.
Esan a tha leisg na obair, is bràthair e don mhilltear mhòr

He that is slothful in his work is brother to him that is the great waster

73.
Fàilt' air fuarachadh

A welcome turned cold

74.
Faoileagan a' chladaich againn fhèin

The seagulls of our own shore

75.
Fuirich, feith ris a' chuthaig [Fan ri amannan nas fhèarr.]

Hold on, wait for the cuckoo [Wait for better times.]

43. Faoileagan air a' chladach aig Gart na Traghad / Seagulls on the shore at Gartnatra

76.
Gabh an t-iasg air an t-snàmh [Gabh brath air cothrom.]

Catch the fish while it swims [Take advantage of an opportunity.]

77.
Gabh do cheithir rathadan fichead

Go your twenty-four ways

78.
Gaoth troimh tholl
Gaoth bharr thonn san long fo sheòl
Is gaoth fhuar an aiteimh

Wind through a hole
Wind off the waves while the ship is under sail
And the cold wind of thaw

79.
Gaoth tuath ri beul na h-oidhche, cha robh i riamh buan

A north wind at nightfall never lasted long

80.
Gheibh neach thairis air bochdainn, ach chan fhaigh e thairis air sannt

A person will recover from poverty (or illness) but he will not recover from covetousness

81.
Gheibh thu beus is gnàth na dùthcha

You shall get what the use and wont of the country sanction

44. Sgreuch na faoileig / Screech of the gull

82.
Glacar iad sna h-innealachdan a dhealbh iad

Let them be taken in the devices they had imagined

83.
Gnothach a' ghille leisg san fhogharach – thèid e fada leis is bidh e fada ris

The lazy lad's burden at harvest time – he goes a long way with it, and takes a long time about it

84.
Guth na faoileig aig an sgliùraich

The young gull has the old gull's voice

85.
Is amaid a bhi cur a-mach airgid a cheannach aithreachais

It is foolish to expend money on the purchasing of repentance

86.
Is ann air an alt sin a bha treise na droma

The strength of the back depended on that joint
[*The strongest part of a chain is its weakest link.*]

87.
Is ann air tìr a tha an stiùireadair as fhèarr

The best steersman is ashore

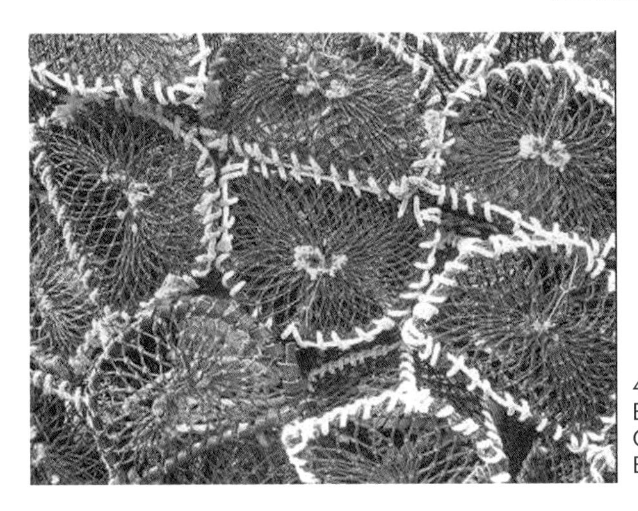

45. Clèibh aig Bun na h-Abhainn / Creels at Bunnahabhain

88.
Is blàth anail na màthar

Affectionate is the breath of a mother

89.
Is cho math dol don tobar le cliabh
[Air a ràdh ri oidhirp gun fheum.]

It's as good to go to the well with a creel
[*Said of a useless undertaking.*]

90.
Is duilich beanas-taighe a dhèanadh fo na fraighibh falamh

It is hard to keep house with empty pantries

91.
Is e an samhradh grianach a nì am fogharadh ciatach

A sunny summer produces an excellent harvest

92.
Is e an t-eun lom as fhaide leumas

The bare bird hops farthest

93.
Is e an treas dual neart an tobha

The strength of the rope lies in the third strand

46. Èirigh na grèine ann am Port Sgioba / Sunrise in Port Charlotte

94.
Is fhasa deagh ainm a chall na chosnadh

It is easier to lose a good character than gain one

95.
Is fheàrr a bhi bhochd na bhi breugach

It is better to be poor than a liar

96.
Is fhèarr an dris na droighinn, is fhèarr an droighinn na 'n Donas

The bramble is better than the blackthorn, the blackthorn is better than the Devil

97.
Is fhèarr blàths an teine na blas na gainne

The warmth of the fire is better than the taste of scarcity

98.
Is fuar a dh'èireas a' ghrian air bruadar an t-seann duine

The sun rises cold on an old man's dream

99.
Is iomadh duine laghach a mhill an creideamh

Religion has spoiled many a nice man

47. Geòidh aig Àrd Nèimh / Geese at Ardnave

100.
Is ionmhuinn le gach neach a choltas

Birds of a feather flock together

101.
Is mairg a dhèanadh subhachas ri dubhachas fir eile

He is to be pitied who rejoices in another's woe

102.
Is minig a chaidh cù gionach a sgalladh
[Bidh an dalma gu tric ann an trioblaid.]

A greedy dog has often been scalded
[*A forward person often gets into trouble.*]

103.
Leig e a mhaidean le sruth

He let his own oars go with the current
[*He threw away his means of support.*]

104.
Loth is bean, tagh i às a' cheann

Choose a wife and a filly by the head

105.
Ma 's fhiach an teachdaire, is fhiach an gnothuch

If the bearer is respectable, the message is important

106.
Mar a nì cù a' chùbair – an rud nach urrainn dha òl suidhidh e làimh ris

Like the cooper's dog – what he cannot drink he sits beside

107.
Màthair fear-an-tighe, an Donas air ùrlar

The mother of the man of the house is the Devil on the floor

108.
Meallaidh e am buntàta às a' choire
[Air a ràdh mu dhuine impidheach.]

He can entice potatoes from a pot
[*Said of a persuasive person.*]

109.
Measar gum bi ùmpaidh glic, nam b' eòl dha a bhith tric na thosd

A fool would be considered wise if he knew how to keep quiet often

110.
Na trì nithean bu choibhneile thachair rium riamh – mo mhàthair, mo dhachaidh 's mo sporan

The three kindest things I ever met – my mother, my home and my purse

111.
Nì bùrn salach làmhan glan

Foul water makes clean hands

112.
Nuair a throideas na mèirlich thig an t-ionracan ga chuid

When thieves fall out, the honest man gets his own

113.
Riaghailidh làmh an dìcheallaich

The hand of the diligent shall govern

114.
'S làidir an t-slabhraidh droch chleachdadh

Bad habits have strong chains

115.
'S mairg a dh'iarradh an aoise

Woe to him that wishes extreme old age

116.
'S e àm fogharadh gaothmhor a nì an coirce cathmhor

It is the windy harvest that makes the oats husky

117.
'S e an suidhidh docharach san tigh-òsda is fheàrr

The uneasiest seat in the ale house is the best

118.
'S e gaol an airgid freumh gach olc

The love of money is the root of all evil

119.
Seachd bliadhna do chat
'S e gu h-aotrom aighearach
A-mach uaith sin
Ceann trom cadalach

For seven years a cat
is light and playful
from then on
it is a heavy sleepy-head

120.
Solus Sathurna san fhogharadh, bidh e aona chuid na rìgh air seachd, no gabhaidh e 'n cuthach seachd uairean
[Bheir e deagh aimsir gun sgur; no an ceart-aghaidh.]

The harvest moon which is new on a Saturday will either be a King over seven moons, or it will go mad seven times
[*It will bring continuous good weather, or the opposite.*]

121.
Suipear gun soillse Oidhche Fhèill Brìghde,
Suipear le soillse Là Fèill Phàdraig

Supper is eaten without daylight on St. Bridget's night
Supper can be eaten by daylight on St. Patrick's Day

122.
Tha am pòsadh coltach ri seillean – tha mil ann 's tha gath ann

Marriage is like a bee – it contains both honey and a sting

123.
Tha an cron sin air an latha Earraich – bidh an dara ceann dheth tioram

The spring day suffers from the fault that one end of it is dry

124.
Tha an fhìrinn car-uair na bèisd

Truth is sometimes a beast

125.
Tha aon cheann air a h-uile rud, ach tha dà cheann air a mharaig

Everything has one end, but a pudding has two

126.
Tha dà thaobh air a' Mhaoil agus seachd seallaidhean dhith
[Tha iomadh dòigh eadar-dhealaichte ann an aon rud fhaicinn.]

There are two sides to the headland and seven different views of it
[*There are several different ways of seeing the same thing.*]

127.
Tha roghainn aig a' cheud fhear de na ràimh

The first man has his choice of the oars

128.
Tha sùil gobhair an ceann nam fear a thaobh nam ban
Is sùil seobhaig an ceann nam ban a thaobh nam fear

Men have a goat's eye as regards women and women have a hawk's eye as regards men

48. A' tughadh aig Taigh Fhraoich, Caol Ila / Thatching at Heather House, Caol Ila

129.
Thachair dhi mar a thachair don chat a chaidh don eas
[Bha i ann an èiginn.]

She suffered the same fate as the cat that went to the waterfall
[She got into trouble.]

130.
Thig am misgear agus geòcair gu bochdainn [Bìoball]

The drunkard and the glutton shall come to poverty [*Bible*]

131.
Thig an cadal gun iarraidh, ged nach tig an t-òr

Sleep will come unsought, though gold will not

132.
Thoir leat do bhreacan air an latha mhath; air an latha fhliuch, dèan mar a thogras tu

Take your plaid with you on a dry day; on a wet day do as you like

133.
Thoir leat mar chual' tu

Report back as you have heard

134.
Tigh gun ùrnuigh, tigh gun tugha

A house without prayer is like a house without thatch

135.
Togaidh am fogharach e fhèin

The harvest will look after itself

136.
Toit, fuachd is bean nacaideach – taobh a-mach an doruis don duine

Smoke, cold and a nagging wife – out goes the man

137.
Trì nithe gun iarraidh, gaol, eud, is eagal

Three things come without seeking, love, jealousy, and fear

138.
Trì nithean urramach, urram le Trianaid, urram na clèire is urram na h-aoise

Three honourable things, reverence for the trinity, reverence for the clergy, and reverence for old age

139.
Tuarasdal an eich, a bhiadh

The horse's wages are its food

140.
Tuilleadh spionnaidh do d' uilinn a dhuine suidh suas
[Miann soirbhicheis do charaid]

More strength to your elbow, man sit up
[*A wish for a successful friend.*]

Faclan Gàidhlig Ìle / Islay Gaelic Glossary

Tha cuid de na faclan seo sònraichte do dh'Ìle, tha cuid eile nas cumanta no air an cleachdadh ann an dòigh eadar-dhealaichte ann an Ìle na anns na sgìrean Gàidhlig eile.

Some of the words in the list are particular to Islay, other words are also found in other Gaelic speaking areas but have a slightly different meaning or are more common in Islay Gaelic.

b = boireann / feminine; f = fireann / masculine; iol = iolra / plural

abair – to say

baibheil – excellent

baideal/an (b) – large cloud/s

bàtan (iol) – boats

bolgam (f) – a mouthful

bolg/an-losgainn (f) – mushroom/s

bròdail – proud

caineab (b) – hemp

ceathramh (f) – quarter

ciabhag/an (b) – long beard/s

cìob (b) – sponge

clis – quick, swift

cneap/an (f) – button/s

coimheach – shy, timid

colbhag/an (b) – index finger/s

còmhlach (b) – straw

cosail ri – similar to

crannag/an (b) – pulpit/s

creic, a' creic – to sell

cuisdeag/an (b) – pinkie/s

daonnan – always

deifir (b) – hurry

dhèan – did

drùin, a' drùineadh – to close

èibhinn – strange

èidheannach/èidheantach (b) – ice

fànus (f) – skyline

fairge/annan (b) – sea/s

fan, a' fantail – to stay, to wait

fideag/an (b) – pinkie/s

figheadair/ean (f) – spider/s

fineag/an (b) – woodworm

fionna fada— middle finger

flat/an (b) – saucer/s

flinne (f) – sleet

fuathasach— wonderful

gaodhachail – doing odd jobs

gealbhan/an (f) – fire/s (in the hearth only)

geannaire/an (f) – hammer/s

glaodh, a' glaodhadh – to shout

glè – quite

gort/oirt (f) – field/s

gun stuth— free of charge

gun robh math agad – thank you

imir/ean (f) – lazybed/s

ladhar /-dhran (f) – toe/s

liathanach (f)— hoar-frost

manadh/aidhean (f) – ghost/s

mand, a' mandadh – can (ability)

maorach/aich (f) – limpet/s / shellfish

mothaich, a' mothachainn – to feel, to notice

muineal/an (f) – neck/s

patach/aich (f) – child/ren

peitear/an (b/f)- pictures

piocach/aich (f) – saithe

piucadh – picking

pollag/an (b) – nostril/s

pròis (b) – prude

rèidh – ready/finished

sè – six

sgrog (f) – a bite (to eat)

siop/aichean (f)— shop

sìthmhearach/aich (b/f) – fairy/ies

siubhail, a' siubhal – to die (humans only), to travel

siùdaich, a' siùdach – to begin

sparraich (iol) – household furniture

sreann-chor (b) – whirlwind

suc!suc! – call to sheep

sugag (b) – sheep

sùgan/an (f) – horse's collar/s

sulasach – over-joyed

an teanntachd (b) – asthma

thalla! – come! (defective verb)

tioram/ tiolam/ tiomailt air – about

tòrradh/aidhean (f) – funeral/s

trasda – across

trusgan/an (f) – suit/s of clothes

Liosta Ainmean Gàidhlig Ìle air Eòin / Glossary of Islay Gaelic bird names

arctic skua	fasgadair
barnacle goose	cathan
black-backed gull	faoileann dubh
blackbird	lon dubh
black grouse	coileach dubh
black headed reed bunting	gealag-dhubh-cheannach
blue tit	gocan gorm
bullfinch	corcan-coille
buzzard	clamhan
capercaille	capull-coille
chaffinch	breacan-beithe
chough	cathag na casan dearg / feannag na casan dearg
common tern	steàrnal
coot	lach a' bhlàir
cormorant	sgarbh
corncrake	darra-trèan / traon

49. Paidhir Cathag na casan dearg / Pair of Choughs

50. Darra-trèan / Corncrake

crow	feannag
cuckoo	cuthag
curlew	crotach / guilbneach
cygnet	eala ghlas
dabchick	gobhlan-uisge
dipper	gobha-uisge
dotteral	amadan-mòintich
eider	lach lochlannach / lach mhòr
fieldfare	uiseag-sneachda
fulmar	fulmair
gannet	amhsan / sùlair
golden eagle	iolaire bhuidhe
goldeneye	lach a' chinn uaine
goldfinch	lasair-coille
greenfinch	glaisean-daraich
grey hen	cearc liath
greylag goose	gèadh glas
grey wagtail	breacan-baintighearna
grouse	cearc-fhraoich / coileach-fraoich
guillemot	càlag / eun dubh
hawfinch	gobach
hen harrier	clamhan-luch / clamhan-fhraoich
heron	corra-ghritheach
hoodie crow	feannag ghlas
jackdaw	cathag
kestrel	clamhan ruadh
kingfisher	biorra-an-iasgaire

kite	clamhan-gobhlach
kittiwake	seagair
lapwing	adharcan-luachrach / sadharcan
linnet	gealan / gealan-lìn
magpie	pioghaid
mallard	lach riabhach / lach-Mhoire / tunnag-mhonaidh / tunnag ruadh
marsh harrier	clamhan-loin
meadow pipit	clamhan ruadh / gocan-cuthaig
moorhen	cearc-uisge
mute swan	eala bhàn
nightjar	gobha-oidhche
northern diver	bur-bhuachaille / muir-bhuachaille
osprey	iolaire-uisge
owl	cailleach-oidhche
oystercatcher	brìde/brìd-eun
pheasant	fèasant
pied wagtail	breac an t-sìl
pigeon	calman
raven	fitheach
red grouse	coileach-fraoich
redshank	coisdeargan
reed bunting	gealag-lòin
ring ouzel	dubh-chreige
robin	brù dhearg / broilleach dearg / ròbin
rock dove	calman-creige
rook	ròcaideach

51. Cìobair-tràighe / Common Sandpiper

sandmartin	gobhlan-gainmhich
sandpiper	cìobair-tràighe / dorra-tràigh / gobada-lìridh
seagull	faoileag / faoileann
seagull (newly fledged)	sgliùrach
shag	sgarbh mòr
shelduck	cràdh-gheadh
skylark	uiseag
snipe	euna-ghobhrag / gob-saich
snow bunting	gealag an t-sneachd
sparrow	gealbhonn / spitheag
sparrowhawk	speireag
starling	druideag
stonechat	clacharan
swallow	gobhlan-gaoithe
swan	eala
swift	gobhlan mòr
thrush	smeòrach
wheatear	brù gheal
whitethroat	gealan-coille
willow wren	crìonag-ghiuthais
woodcock	coileach-coille
wood pigeon	calman-coille
wood wren	conan-coille
wren	dreòlan / dreathan donn
yellow wagtail	breacan buidhe

52. Dreòlan / Wren

Liosta ainmean Gàidhlig Ìle air creutairean fairge / Glossary of Islay Gaelic sea creature names

cockle	coilleag
cod	trosg
codling	bodach ruadh
crab	crùban
dab	garbhag
dogfish	gobag
dolphin	leumadair
eel	easgann
flounder	leabag
green crab	partan

53. Sligeachan anns a' bhalla ann am Bun Othan / Shell wall in Port Wemyss

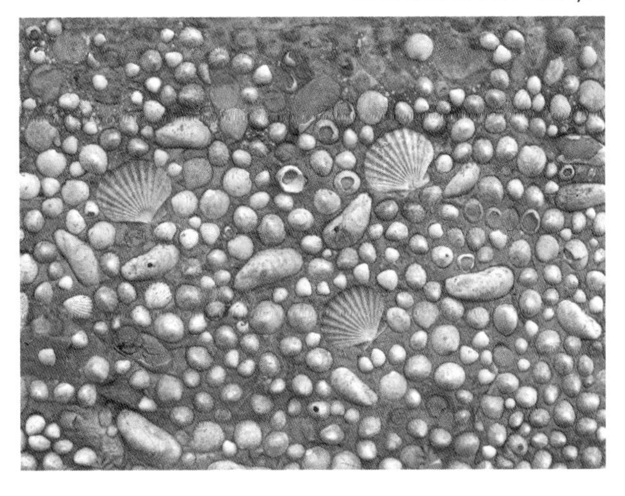

gurnet	cnùdan
haddock	adag
halibut	bradan-leathann / leabag-leathann
herring	sgadan
limpet	bàirneach / maorach
ling	leaga
lobster	giomach
lythe	liùgh
mackerel	rionnach
mullet	iasg mear
mussel	feusgan
oyster	eisir
plaice	leabag-bhreac / leabag-mhòr
porpoise	pèileag
saithe	piucach
cuddy	cudag
sprat	cudainn
sprat (6 inches)	cudainn mhòr/smalag
saithe (1 year old)	ceiteanach
saithe (2–3 year old)	piucach
saithe (4 year old)	piucach mòr
saithe (fully matured)	ugsa
salmon	bradan
sand-eel	sìolan
scallop	creachann
sea-pike	corra-maothar
sea trout	gealag

sea-urchin	coinean-mara
skate	sgait
sole	leabag-cheàrr
spotted dogfish	mùrlach
starfish	goirid a' ghradh
squid	gibearnach
trout	breac
velvet crab	geamsag
whale	muc-mhara
whelk	conachag
whitch	leabag-uisge
winkle	faochag
wrasse	creagag

Le taing do:
Màiri Chaimbeul, Diorbhail Dennis, Bella Garner nach maireann, Niall "The Gow" Gilleasbuig nach maireann, Ùisdean Mac a' Ghobhainn, Iain Mac a' Phearsain, Dòmhnall Mac an Deòir, Donnchadh MacDhùghaill, Niall MacFhearghais, Cailean MacGill'Fhaolain, Dòmhnall MacGillebhràth, Alasdair MacGilleathain, Dòmhnall Angaidh MacIllinnein, Iain Tormod MacLeòid, Dòmhnall MacPhaidein, Seamas MacPharlàin, Uilleam MacThòmais, Lena McKeurtan, An t-Àrd-ollamh Dòmhnall Meek, Màiri Merrall, Effie Nic a' Chlèirich, Heather Nic an Deòir, Flòraidh NicAlasdair, Joanne NicCaluim, Flòraidh NicCathbharra, Mòrag NicDhùghaill, Mairead NicEacharna, Màiri NicEacharna, Lorraine NicFhearghais, Mairead NicFhearghais, Anna NicGhille, Ceitidh NicIain (Bogh Mòr), Ceitidh NicIain (Bruach a' Chladaich), Màiri NicIlleMhìcheil, An t-Ollamh Michelle NicLeòid, Mòrag Scott, Nancy Stevenson, Dòmhnall Uilleam Stiùbhart, Donnchadh Stiùbhart, Iain Stiùbhart agus Betsy West. Agus do a h-uile duine a chuir ur taic ris a' phròiseact thar na dà bhliadhna.

Dealbhan le:
Emily Edwards (6, 7, 10, 11, 16, 17, 18, 20, 23, 24, 25, 26, 27, 29, 30, 32, 33, 34, 38, 39, 40, 41, 43, 46), Gòrdon Langsbury (44, 49, 51, 52), Iain Mac an Deòir (3, 14, 31, 48) An t-Ollamh Calum MacGhillebhuidhe (13, 35, 50), Anne NicGhille (15), Joanne Stephen (8), Becky Williamson (còmhdach, 2, 4, 5, 9, 12, 21, 36, 37, 42, 45, 47, 53) agus dealbh 19 agus 28 le cead bho Taigh-tasgaidh beatha muinntir Ìle

Tar-sgrìobhainn agus eadar-theangachaidhean le:
Emily Edwards, Daibhidh Grannd agus Mairead NicEacharna

Le taic airgid bho:
Stòras Dualchais a' Chrannchuir Nàiseanta, Comunn na Gàidhlig Sgeama Cànan sa Choimhearsnachd agus Iomairt Earra-Ghàidheal agus nan Eilean

With thanks to:
Mary Campbell, Màiri Carmichael, Effie Clark, Dorothy Dennis, Heather Dewar, Lorraine Ferguson, Margaret Ferguson, Neil Ferguson, the late Bella Garner, the late Neil "the Gow" Gillespie, Kate Johnston (Bowmore), Kate Johnston (Bruichladdich), Flora MacAffer, Flora MacAlister, Joanne MacCalum, Duncan MacDougall, Morag MacDougall, Donald MacFadyen, James MacFarlane, Anne MacGill, Donald MacGillvray, Donald MacIndeor, Mairead MacKechnie, Mary McKechnie, Lena McKeurtan, Alasdair MacLean, Colin MacLellan, Donald Angus MacLennan, John Norman MacLeod, Dr. Michelle MacLeod, Iain MacPherson, Professor Donald Meek, Mary Merrall, Morag Scott, Hugh Smith, Nancy Stevenson, Donald William Stewart, Duncan Stewart, John Stewart, Bill Thomson and Betsy West. And to everyone who supported the Seanchas Ìle project over the two years.

Photographs by:
John Dewar (3, 14, 31, 48), Emily Edwards (6, 7, 10, 11, 16, 17, 18, 20, 23, 24, 25, 26, 27, 29, 30, 32, 33, 34, 38, 39, 40, 41, 43, 46), Gordon Langsbury (44, 49, 51, 52), Anne MacGill (15), Dr Malcolm Ogilvy (13, 35, 50), Joanne Stephen (8) and Becky Williamson (cover, 2, 4, 5, 9, 12, 21, 36, 37, 42, 45, 47, 53) and photo 19 and 28 with permission from the Museum of Islay Life

Transcriptions and translations by:
Emily Edwards, David Grant and Mairead MacKechnie

The Seanchas Ìle project was funded by:
Heritage Lottery Fund, Comunn na Gàidhlig Gaelic in the Community Scheme and Argyll and the Islands Enterprise